WiLL

DE ROOKMACHI

Van dezelfde auteur:

Flip Willemsen

De rookmachine

verhalen

Uitgeverij L.J. Veen Amsterdam/Antwerpen

Omslagontwerp Brigitte Slangen
Omslagbeeld Getty Images
Auteursfoto Evert Westerdijk

D/2004/0108/724
ISBN 90 204 0120 3
NUR 301

www.boekenwereld.com

Voor Corrie en Guus Kuijer
En voor Gerard Rasch

Every time there's dust out on the road,
I look up and I hope that she's coming back to me,
even though I already know
She's gone for good, she told me so
I always think it just might be

Fred J. Eaglesmith
and the flying squirrels
from the paradise motel: 'I'm Just Dreamin''

Inhoud

En we noemen haar Scania

Erik en Magda, twee cirkels in het zand. Die had ze met een tak voor hem getekend, twee vollemaansgezichten met een lachende mond en drie stipjes.

Hij was tien, zij negen. Ze waren gelukkig, het kon niet op. Vandaag was als gisteren, morgen zou als vandaag zijn. Het was ondenkbaar dat het ooit anders zou gaan.

Ze zaten langs de kant van de weg op een bankje voor het park. Het was woensdagmiddag, ze hadden vrij. Windstil, volop zon en geen enkel wolkje.

'Zeven,' zei ze.

'Acht.'

'Negen, in de verte.'

Ze telden de vrachtauto's, die af en aan reden naar het industrieterrein achter het station.

'Naampje raden doen?' vroeg hij toen de spoorbomen dichtgingen. Bij dat spelletje moesten ze de namen van vrachtauto's ontcijferen. Bijna alle vrachtauto's hadden een naam, alsof het huizen waren: 'Elvis', 'Johnny Cash', 'Greta Garbo'. Maar aan een filmster of zanger hadden ze niets. Het moest een vreemde naam zijn, zoals 'Kadomi', 'Linokla', 'Cogema'.

'Ik eerst?' vroeg ze.

'Mag ik de volgende keer eerst.'

'Jomaca,' zei ze langzaam. Het stond op de vrachtwagen voor de spoorbomen. 'Jo is Joke, ma is Maria en ca is Carla.'

Eén-nul.

Erik aan de beurt. 'Jomaca is Joris, Markus en Cas.'

Eén-één.

Zij weer. 'John, Maartje en Catootje.'

Even later reden twee vrachtwagens elkaar hard toeterend tegemoet, 'Brigitte Bardot' en 'Cageran'. Toen ze elkaar passeerden, stak Brigitte Bardot zijn duim op.

'Ik ben,' zei Erik. 'Cageran: Ca is Carrie, ger is Gerard en an is Annet.'

'Ca is Carola, ger is Gerrit en an is Anne.'

Eén ding begrepen ze niet. Waarom stond op bijna alle vrachtauto's 'Scania'? Een naam die met Sc begint? Was Scania een filmster? Een popgroep?

'Ik weet het,' zei ze. 'Scania, Sc is Scott, ani is Anita en...'

'Scott? Ik ken niemand die zo heet.'

'Scott Tracy van de *Thunderbirds*, van Thunderbird één.'

Erik schoof naar haar toe en vroeg: 'Zullen we met elkaar gaan?'

'Vanaf nu?'

'Vanaf nu.'

'Gaan we later trouwen, krijgen we een kind en noemen we haar Scania,' zei ze.

'Koop ik een vrachtauto, een glimmende rode.'

Ze pakte zijn hand en legde die op haar borst, een zwellinkje. 'Voelen?'

'Hoezo?'

'Dat hoort zo. Alle mannen en vrouwen doen het, dat vinden ze lekker.'

Erik kneep zacht. Toen hij losliet zei hij: 'Lekker.'

'Ik hou van je,' zei ze.

'Hoeveel?'

'Net zoveel als van mijn moeder. En jij?'

'Hetzelfde.'

Een meneer liep voorbij. Hij was vrolijk. Dat kon je zien aan de tas in zijn hand, die met elke stap meer vaart en hoogte kreeg.

'Meneer, weet u misschien hoe laat het is?' vroeg ze.

Hij bleef staan, keek op zijn horloge en zei: 'Ja, dat weet ik.' En liep door.

Het was een grapje.

Hij kwam terug. 'Willen jullie het soms ook weten?'

'Alstublieft,' zei ze.

Hij hield haar zijn horloge voor.

Ze strekte haar nek en keek: 'Kwart voor zes, ik moet naar huis.'

'Zullen we morgen verder spelen?' vroeg Erik.

'Ja.'

Ze stonden op.

'Zal ik aan Movabe vragen of je bij ons mag blijven eten?' vroeg ze.

'Movabe?'

'Moeder van Berend, mijn moeder. We hebben er maar één.'

'Eén?'

'Eén jongen. Mijn moeder noemt hem Berend Botje.'

Hand in hand staken ze de weg over.

Ze neuriede het liedje dat haar moeder elke avond voor Berend in zijn bedje zong, terwijl ze hem zacht met haar hand op zijn buik heen en weer wiegde.

Vlak bij haar huis lieten ze elkaar los.

'Als Scania geen meisje is, maar een jongen,' zei Erik. 'Hoe noemen we hem dan?'

'Scania. Dan noemen we hem ook Scania.'

De bloesemroute

Maike is zestig jaar en woont op vijfhoog. Maar niet lang meer. Haar broer en zijn vrouw hebben een half-jaar geleden besloten dat ze gaat verhuizen. Het zal een WIBO-woning worden. Daar hoort ze thuis, vinden ze. En zij niet alleen, de hulpverlening vindt het ook.

WIBO betekent: Wonen In Beschermde Omgeving. Het is een soort aanleunwoning voor bejaarden, een flat van tien hoog met op elke etage ook één MIVA-woning voor een invalide, een mindervalide. Met deuren van draadglas, een conciërge in een glazen hokje die toezicht houdt, een prikbord in de hal, lange gangen met zware tochtdeuren, mensen in ochtendjassen. Zoals in een inrichting.

Ik hoorde het van Gerdien, mijn buurvrouw. Ze zat naast Maike op de bank toen ze het haar vertelden.

'Ben je het met ons eens, Maike?' had haar broer gevraagd. 'Dat dit het beste voor je is?'

Maike reageerde niet.

'Wanneer gaat ze?' vroeg Gerdien.

'Als er een plaats vrijkomt,' zei haar broer. 'Dat kan over één week zijn, over drie weken, een maand, een halfjaar, er valt niets over te zeggen. Het hangt van het verloop af.'

'Hoe lijkt je dat, Maike?' vroeg de vrouw van haar broer. 'Spreekt het je aan?'

Maike zei niets.

'Het dringt niet tot haar door,' zei haar broer.

Maike keek hem aan. 'Heus wel, hoor.'

Ze ging staan en zei: 'Wie kan ik helpen? U? Zegt u het eens.'

Niemand zei iets.

'Zegt u het eens,' zei ze nog een keer. En meteen daarna: 'Jullie moeten wel wat kopen. Wie is er dan aan de beurt?'

'Ik,' zei haar broer. 'Mag ik een pak suiker?'

Hij stond op en trok zijn jas aan, die over zijn stoel hing.

'Moet het worden opgeschreven?'

'Nee, ik betaal het nu.'

'Wie dan?' Ze wees met een hoofdknik naar haar schoonzus. 'Zegt u het maar.'

'Ook een pak suiker, graag.'

'Verder nog iets?'

Gerdien snapte het niet.

'En jij?' vroeg ze aan Gerdien. 'Wat zal het zijn?'

Gerdien haalde haar schouders op.

'Mijn ouders hadden vroeger een kruidenierszaak,' legde Maikes broer uit. 'Maike heeft er ook een tijd in gestaan. Ze deed het met zoveel plezier.'

Gerdien knikte. 'Ik herinner me het weer, Maike heeft het me een keer verteld.'

'Weet je het niet meer?' vroeg Maike. 'Heeft je moeder je geen briefje meegegeven?'

'Twee blikjes kattenvoer, alstublieft,' zei Gerdien.

Maike is klein, tenger en doorzichtig. Door de witte krulletjes van haar poppenhaar schemert een roze schedel. De laatste jaren kan ze niet meer uit haar woorden komen. Ze zijn er nog wel, maar ergens ver weg en onvindbaar. Als ze iets wil zeggen knikt ze met haar hoofd, terwijl ze schuin omhoog kijkt, alsof ze zichzelf aanmoedigt of wacht op een volzin van God in de hemel. Die krijgt ze soms ook, een of meer zinnen die ze zonder te haperen uitspreekt. 'Dank je wel jongetje,' zegt ze dan.

Het komt ook voor dat ze haar nagels in de muis van haar hand zet als ze iets probeert te zeggen, alsof ze een zeldzame vlinder heeft gevangen die niet mag ontsnappen. Het kan ook een woord zijn dat haar niet ontglippen mag. Misschien knikt ze wel met haar hoofd om haar woorden te sturen, zoals je doet met de metalen kogeltjes in zo'n rond plastic doosje, die je langs hindernissen in het doel moet zien te krijgen.

'Het leven gaat door, Maike.' Dat zegt ze elke ochtend twee keer voor de spiegel tegen zichzelf. 'Het leven gaat door, Maike.' Maar ze kan hem maar niet vergeten, alsof hij in haar zit. Ze is ervoor naar Meester Banfa geweest, beroemd helderziend medium met grote ervaring. Zeer bekend om zijn uitstekende werk en doeltreffendheid, ook op het gebied van onttovering. Het stond allemaal op zijn visitekaartje. 'Bescherming tegen het noodlot.' 'Onmiddellijke terugkeer van een persoon die u verlaten heeft.' En: 'Het is belangrijk dat u weet dat de natuur een oplossing voor u heeft.'

Hij hypnotiseerde haar en voerde haar mee naar de

bloesemroute. Aan het eind daarvan stond de boom van het vergeten. Eén uur onder die boom en ze zou alles vergeten zijn, had hij gezegd. En zo gebeurde het ook. Na een lange reis was ze onder de boom in slaap gevallen. Toen ze weer wakker werd geknipt, was ze inderdaad alles vergeten, maar ook wíé ze wilde vergeten. En ze miste hem erger dan ooit.

Sommigen in de flat noemen haar 'de Toren van Pisa'. Dat was ook de bijnaam van de man die niet zag hoe scheef hij liep, over wie Oliver Sacks heeft geschreven. De ziekte van Parkinson had het stuurmechanisme in zijn hersenen uitgeschakeld. Hij had alles geprobeerd om rechtop te lopen: strepen op de vloer, tegengewichten in een riem om zijn middel, een hard tikkende pacemaker om de cadans van het lopen aan te geven. Niets hielp. Totdat hij een waterpasbril kreeg, een bril met een aan de brug vastgemaakte miniatuurwaterpas. Met die bril op kon hij controleren of hij rechtop liep. Het was wennen, in het begin had hij last van duizelingen en was hij vaak gevallen, maar daarna niet meer.

Maike zit vaak aan de oever van de rivier, schuin tegenover de flat, achter het zwembad. Voorovergebogen tuurt ze in het water, altijd met een brede glimlach om haar mond. Niemand weet wat ze ziet. Het moet mooi zijn, anders zou ze niet glimlachen.

Het is halfacht, ik heb de krant beneden uit mijn postvak gehaald. Ik woon op zeshoog.
  Maike staat voor mijn deur. Ze heeft een wijde re-

genjas aan met diepe zakken en daaronder een dik grijs katoenen trainingspak. In haar nek zit een opgerolde handdoek, aan haar arm bungelt een plastic tas.

Of ze zin in koffie heeft, vraag ik.

Ze heeft zin.

Ik ga haar voor mijn woning in.

In de kamer probeert ze me iets te vertellen.

'Ik... ik... eh... hè, moeilijk...'

Ze gaat op de bank zitten.

Ik schenk een kop koffie voor haar in.

Ze legt haar hand op haar buik.

'Buikpijn?'

'Nee, ik... ik... nou... lastig hoor...'

Ik ga naast haar zitten.

'Lukt het niet?'

'Jawel, dat wel, maar...'

Ze haalt een koperen klokgewicht uit haar jaszak en wisselt dat om met de ouderwetse gewichtstukken in haar andere zak: een pond, een kilo en een ons. Daarna diept ze een bril met grote glazen op uit de plastic tas naast de bank. Een oude bril van haar moeder.

Ik moet aan de waterpasbril van de Toren van Pisa denken.

Ze zet de bril op, knoopt terwijl ze opstaat haar jas dicht en maakt een rondje door de kamer. Haar voeten zwikken. Ze lijkt op een schoolmeisje in de jurk van haar moeder, op pumps die lang en smal als een skiff zijn, maar aan haar voeten logge roeiboten lijken.

Ze wankelt.

'Kijk maar uit dat je niet struikelt met die bril op,' zeg ik. En ik zeg ook nog: 'Als je met die gewichten in je zak in het water valt, zink je meteen naar de bodem.'

Ze kijkt me met glinsterende ogen aan, tuit haar lippen en zet bolle wangen op, alsof ze water in haar mond heeft en gaat proesten.

Ze neemt een slokje koffie, staat op en loopt met haar kopje in de hand naar de wc.

'Waar ben je?' roept ze even later.

'Ik ben hier.'

Ze komt de kamer in en gaat zitten, staat weer op en loopt naar de andere kant van de kamer.

'Wat is dat voor grappigs?' Ze bekijkt de zijkant van mijn televisie.

'Wat dat is? Dat is mijn televisie.'

'Gezellig hier, zo vrolijk.'

Ze wijst naar een foto in de boekenkast en vraagt: 'Is dat je broer met zijn vrouw?'

'Ja, ze wonen in het buitenland.'

'Het buitenland? Daar heb ik nou altijd willen wonen.'

'In Amerika?'

'Amerika?'

'Ja, daar woont hij, mijn broer. Thijs heet hij, zijn vrouw heet Helen. Ze is een Engelse.'

Maike loopt naar de bank en verschuift het houten bijzettafeltje dat ervoor staat, een soort kubus die ik in een speelgoedwinkel heb gekocht. Als je het op zijn kant zet wordt het een stoeltje voor een kind. Drie heb ik er. Een rode, een groene en een gele.

Ze haalt iets uit haar jaszak.

Het is een foto.

'Kijk,' zegt ze. Ze geeft hem aan me.

Ik kijk. 'Je man?'

'Sjoerd, ja.'

'Sjoerd,' zeg ik. Ineens weet ik het. De WIBO-flat. Het is zover. Ze komt afscheid nemen.

Ik sta op en geef haar de foto terug.

'Is het zover? Ga je weg? Is dat wat je wilt zeggen?'

'Ja... nee... ook... ik wou...'

'Ook? Is er nog iets? Wat dan?'

Ze maakt een dansje.

'Ga je naar de WIBO? Is dat het? Iets anders?'

'Amerika,' zegt ze.

'Daar woont Thijs, ja.'

Ik kom er niet achter wat ze wil zeggen.

Aan het begin van de gang woont Raymond. Hij werkt bij het Gemeentevervoerbedrijf waar hij trams schoonmaakt. Twee weken geleden is zijn ex-vrouw uit Suriname overgekomen. Onaangekondigd. Ineens was ze er: Yvet.

Ze heeft dezelfde krulletjes als Maike en hetzelfde figuur, Maike in het zwart. Met dit verschil dat de krullen van Yvet op haar slapen wijd uitstaan, zoals de oogkleppen bij een paard.

Er wordt veel over haar gepraat. Ze zeggen dat ze in de war is. Door de cultuurschok.

De zakenman op vierhoog, 'De Bodybuilder', zegt dat Yvet psychotisch is. Hij is directeur van een Assessment Centre dat in opdracht van bedrijven sollicitanten psychologisch onderzoekt. Vorig jaar is hij aan zijn rug geopereerd. Hij heeft een pin gekregen.

Daarna is hij zich op advies van de dokter gaan bewegen. En hoe. Een metamorfose. Spieren, spieren en nog eens spieren. Hij heeft een arend met uitgespreide vleugels op zijn biceps laten tatoeëren. Hij zou de bodyguard van de president van Amerika kunnen zijn. Gerdien zegt: 'bodykast'.

Zijn pafferige gezicht past niet bij zijn strakke strenge lichaam. Het lijkt net of hij zijn hoofd door een gat in een groot vierkant bord heeft gestoken, zo'n toeristische attractie. Dat hoofd maakt hem vriendelijk. Het staat hem goed.

Vorig jaar, toen hij herstellende was, zat hij vaak op het balkon. Met zijn toen nog dikke buik en zijn opgeschoren stekeltjeshaar, rechte rug, hoog opgetrokken schouders en slap hangende armen deed hij me aan een grote, gemoedelijke chimpansee denken. Helemaal toen hij op een ochtend zijn ene been bij de enkel vastpakte, het over de dij van zijn andere been legde en aan zijn tenen begon te pulken.

Hij voert de hele dag telefoongesprekken met kandidaten. Terugkoppelingsgesprekken noemt hij die. Dat doet hij handsfree. Het lijkt net alsof hij de hele dag in zichzelf aan het praten is, zoals een schizofrene zwerver die stemmen hoort. Door die mobiele telefoons kun je niet meer zien wie gek is en wie niet.

Hij heeft tegen Gerdien gezegd dat er niet veel voor nodig is om gek te worden. Toeval, pech, in een handomdraai kan het gebeurd zijn. Op een dag kom je thuis van je werk en steek je zoals altijd de sleutel in het slot. Maar dan gebeurt het. Met de klik van de sleutel in het slot klikt er iets mee in je hoofd. Zo kan het gaan. Elke keer als ik nu mijn sleutel in het slot steek, moet ik daaraan denken. Soms blijf ik even voor de deur staan en wacht af.

Laatst hoorde ik een zwerver praten met een stem in zijn hoofd. Met verende stappen en druk gebarend liep hij door de winkelstraat.

'Geloof me,' zei hij. 'Wat je zegt of hebt gezegd komt vroeg of laat allemaal bij jezelf terug. Echt.' Het zouden de woorden van de directeur van een warenhuis kunnen zijn, die zijn personeel wijst op het belang van de klantvriendelijkheidstraining. 'Blijf altijd geduldig en ga nooit in de verdediging.'

Toen Yvet hier net was, hoorde ik Raymond op een ochtend met haar praten. Ik had de krant gehaald.

Voor zijn deur bleef ik staan. Ik luisterde.

'Kijk,' zei Raymond. 'Zo deed je het thuis altijd. Weet je nog? Zie je dit snoepje? Je gooide het in de lucht en ving het op in je mond. Kijken of ik het ook kan?'

Ik hoorde een tik. En nog een tik. Raymond had het snoepje gemist. Nog een tik.

Raymond lachte. 'Mis, mij lukt het niet. Je hield je hoofd scheef als je het deed en keek omhoog. Een beetje scheel keek je. Alleen maar om me te plagen. Weet je het weer?'

Het deed me denken aan *A Woman Under the Influence*, een film met Gena Rowlands en Peter Falk. Mabel Longhetti komt na zes maanden terug uit de inrichting. Haar man spreekt haar moed in. Hij heeft haar rare gebaartjes gemist, haar gepuf en geblaas.

Ik deed een stap naar voren, hield mijn adem in. Raymond miste weer een snoepje, en nog een. Tik, tik.

'Hoor je me? Luister je? Yvet, meisje? Kijk je?'

Even was het stil. Toen zei hij: 'Nu jij. Kom lieverd, doe het dan voor mij. Doe je dat? Ik wil zo graag dat het goed met je gaat en dat je weer blij wordt.'

Ik wachtte.

Ze deed het.

Raymond applaudisseerde en zei: 'In één keer goed, fantastisch. Hoe krijg je het voor elkaar?'

Ze lachten als een verliefd stel.

Als ik de ochtend na Maikes bezoek mijn deur afsluit, zie ik Yvet staan. Ze staat roerloos voor de deur, met haar hand op de bel. Ik heb gehoord dat ze niet met de lift durft. Meestal drentelt ze wat heen en weer op de gang, totdat er iemand aan komt. Dan pas stapt ze in, altijd met iemand samen, nooit alleen.

Ik groet haar.

Ze kijkt over haar schouder en lacht.

Ze volgt me naar de lift.

De lift staat voor, we kunnen meteen instappen.

'Bent u hier al eens eerder geweest?' vraag ik in de lift. 'In Nederland?'

Ze knikt en zegt: 'Vijftien jaar geleden.'

'Is er veel veranderd, vergeleken met toen?'

Ze trekt haar lippen naar binnen en zet grote ogen op.

'Is het beter of slechter geworden?'

Ik hoor een noodsignaal. Vast weer loos alarm, de brandweer rukt drie keer per week tevergeefs uit naar het verzorgingshuis aan de overkant.

'Wat zegt u?'

'Is er veel in ons nadeel veranderd vergeleken met vijftien jaar geleden? Hier in Nederland, bedoel ik. Of juist niet? Zijn we erop vooruit of op achteruit gegaan?'

Ik hoor het noodsignaal voor de tweede keer.

'Zijn we erop vooruit of op achteruit gegaan?' herhaal ik.

Yvet maakt met haar hand en hoofd een gebaar van: nou, dat zal erom spannen. Het is het verkeerde gebaar, alsof haar gebaren nog niet geland zijn, maar nog in het luchtruim zweven ergens tussen Suriname en Nederland. Of misschien zijn ze al aangekomen en draaien ze rond op de bagageband van Schiphol.

We stappen uit de lift.

Weer hoor ik het noodsignaal. Zou er iets gebeurd zijn? Met Maike aan de waterkant, met haar grote bril, zwikkende voeten en gewichten in haar zak? Is het voor haar? De ziekenauto?

'Ik ga met u mee naar buiten,' zegt Yvet.

Ik wijs met mijn hoofd naar de postvakken en zeg: 'Ik hoef niet naar buiten, ik kom alleen maar de krant halen.'

Ik steek mijn sleuteltje in het slot van mijn postvak.

'Als u iets nodig heeft,' zeg ik, 'of iets wilt vragen. U kunt altijd bij me aanbellen, ik woon aan het eind van de gang en ben vaak thuis. Als er iets is, gewoon aanbellen.'

'Dank u wel. De Here Jezus gaat u zegenen voor uw aanbod.'

'*It's alright.*' Waarom ik haar in het Engels aanspreek, weet ik niet. Misschien omdat ze met Jezus op de proppen komt. Ik had het niet verwacht. Ineens zie ik haar voor me met haar broeders en zusters uit Suriname. Jubelend en zingend.

Ik pak de krant uit mijn postvak en doe het weer op slot.

'*Praise the Lord*,' zingen ze met gelukzalige gezichten als ik naar de lift loop. '*Hallelujah*.' Ze roepen de Heer aan, met hun armen omhoog en hun handen fladderend boven hun hoofd, als de handen van een bejaarde die wordt uitgekleed. '*God loves you, he really does.*'

Yvet drukt op de knop van de elektrische deuropener en gaat naar buiten. En ze roept wat ik haar en haar broeders en zusters net daarvoor in mijn hoofd heb horen roepen: 'God loves you, he really does.' Dan draait ze zich om en zegt: 'God loves Suriname.' En terwijl ze dit zegt, drukt ze haar nagels in de muis van haar hand, zoals Maike dat altijd doet. Haar ogen glinsteren.

Meteen daarna klinkt het noodsignaal weer, harder dan de vorige keren.

Terwijl ik de lift in stap, stapt Gerdien uit.

'Maike heeft bericht van de WIBO gehad,' zegt ze in het voorbijlopen. 'Morgen vertrekt ze.'

'Ik dacht al zoiets. Morgen al?'

'Heeft ze niks gezegd? Is ze gisteren niet bij je langs geweest?'

Ik druk op de knop.

'Ja,' zeg ik. 'Nee... ik...'

De lift zet zich in beweging.

Op de zesde etage stap ik uit.

De mat voor de deur naar de galerij is nieuw.

Ik loop de gang op. Er klopt iets niet. Het linoleum ziet er anders uit, ander motief, andere kleur. Waarom heb ik daar niets van gemerkt? Hoe kan dat? Langzaam dringt het tot me door dat ik een verdieping te laag ben uitgestapt. Ik ben op de vijfde, op de etage van Maike.

Ik draai me om en loop terug.

Voor de deur van Maike ligt een foto. Ik pak hem op. Het is Sjoerd. Hij moet uit haar jaszak gevallen zijn, toen ze haar sleutel zocht.

Ik schuif hem onder haar deur door. Terwijl ik dat doe zie ik dat er iets op de achterkant staat. Vette zwarte letters, met viltstift geschreven. Ik trek hem terug en lees wat erop staat. 'Nu duurt het niet lang meer, jongetje. Ik kom eraan.'

Ik houd de foto voor mijn gezicht en zeg: 'Maike komt eraan, Sjoerd. Het duurt niet lang meer, ze is onderweg.'

Weer klinkt het noodsignaal. Het is voor Maike. Geen twijfel mogelijk.

'Hoor je, Sjoerd? Ze komt naar je toe. Is ze er al?'

Insuline Insulinde

Een toerist in een korte broek maakt een foto van het restaurant naast mijn woning, dat vanwege zijn uitzonderlijk smalle gevel in de vvv-gids staat. Een bezienswaardigheid.

Ik sta voor het raam naar hem te kijken. Hij heeft sandalen aan. Zijn zwart behaarde benen zijn opvallend dun en wit, alsof ze net uit het gips komen. Verslapt. Even denk ik dat het gips er nog om zit, maar het zijn zijn strakke lange witte sokken, die hij tot over zijn kuiten heeft opgetrokken.

Hij bergt de camera in het voorvak van zijn schoudertas op. Uit het zijvak steekt een vliegticket. Is het een vliegticket?

Als hij me ziet, steekt hij zijn duim op.

Hij lijkt op Frans, mijn vroegere buurman uit de Rivierenbuurt. Ik zwaai.

De witte spillebenen snellen weg.

Ik tik op het raam en roep: 'Frans.'

Hij kijkt over zijn schouder.

Ik tik nog een keer. 'Frans.'

Het kan hem niet zijn. Frans droeg nooit sandalen. En sokken had hij niet. Daar had hij een reden voor.

Ik keer me van het raam af. Terwijl ik de kamer in loop, denk ik aan Trudie van een hoog. Ze had Frans en mij een keer voor een etentje uitgenodigd, kaasfondue. We stonden beneden in de hal. Frans bedankte. Hij had, zei hij, één keer eerder gekaasfonduud. Dat was hem slecht bekomen. Alsof hij een oude sok uitzoog.

Trudie had zich omgedraaid en was naar buiten gegaan.

'Koekoek,' riep ze hard voor de deur. En nog harder: 'Kiekeboe.' Het waren zijn eigen woorden. Een dag eerder door hem uitgeschreeuwd.

Als Frans er niet meer tegen kon, sloot hij zich op in zijn huis op tweehoog. Dagenlang hield hij zich dood. De wijkpolitie, gewaarschuwd door Trudie, probeerde hem voor de deur moed in te spreken. Tevergeefs; niemand had vat op hem, Dagopvang en Thuiszorg ook niet.

Het kwam altijd weer goed.

Op die dagen hield ik op het bankje bij de bushalte de wacht. Zijn bankje. Ik riep: 'Frans.' Ik had het nog niet geroepen of hij deed de ramen dicht. Onafgebroken keek ik naar boven. Als ik maar lang genoeg keek, kwam hij vanzelf te voorschijn. De samengebonden gele velours gordijnen aan weerskanten van de ramen deden me aan korenschoven denken. Het kwam weleens voor dat ik zo ingespannen keek dat ik de gordijnen zag bewegen. Eén keer dacht ik zelfs te zien dat hij in een van die korenschoven verstopt zat.

Zodra Frans naar me zwaaide, wist ik dat het gevaar geweken was en verliet ik mijn post.

Weer binnen belde ik Trudie op en zei: 'Het komt goed.'

Het kwam nooit meteen goed.

Een uur later deed hij hard lachend zijn deur open, stak zijn duim op en riep: 'Kiekeboe.' Of: 'Koekoek.' Keihard. Het was schreeuwen.

Als de toerist allang uit het zicht verdwenen is, besluit ik naar mijn oude buurt te gaan. Mijn woning daar staat leeg, die van Frans en Trudie ook. Het pand wordt gerenoveerd.

Ik neem lijn 3.

Op de Overtoom stap ik over op de 12.

'Alstublieft,' zeg ik terwijl ik de conducteur mijn strippenkaart voorhoud. 'Hij is al afgestempeld.'

Ik zoek een plaats en ga zitten.

'Twee zones alstublieft,' hoor ik een vrouw zeggen.

'Twee zones voor de dame,' zegt de conducteur. 'Mogen het in plaats van zones ook dochters zijn?'

Ik hoor die grapjes graag. Ze doen me aan mijn jeugd denken, toen iedereen gelukkig was. Toen de wereld nog niet zo oud was als nu en alles veel eenvoudiger was. Toen ik op De School Met Den Bijbel zat en de zonen van Mozes uit mijn hoofd moest leren, Sem, Cham en Jafeth. En de hele klas zich op de dijen van het lachen sloeg omdat de meester Jam, Ham en Braadvet zei. Toen de juffrouw nog voorlas uit *Het gouden voorleesboek* van W.G. van de Hulst. 'Van twee domme bengels', 'Appelen Jan', ''t Mocht van Hannes'. Toen mijn vader en moeder nooit dood zouden gaan.

Amsterdam die grote stad met hoeveel letters schrijf je dat!

Frans kon er ook wat van.

'Zeg, weet jij wat een pedicure zonder werk is?'

'Geen idee.'

'Een voetzoeker.'

Of deze: 'Wat is een graaf zonder auto?'

'Zeg maar.'

'Een loopgraaf.'

'Hij heeft het weer,' zei Trudie als ze me kwam waarschuwen. 'Heb je tijd om te posten? Het wordt elke keer erger. En hij heeft het maar over Insulinde. Weet jij wie dat is? Is ze weleens hier geweest? Ik heb nooit iets gezien. Bestaat ze wel? Het lijkt wel of hij met de dag gekker wordt.'

Frans wist hoe Trudie over hem dacht. Hij lachte erom en zei: '"*Was sich liebt, das neckt sich*," zei de gek en hij beet de freule in haar nek.' Alsof ze zelf zo normaal was met haar opklapbed. Op haar prikbord in de gang hingen kaarten uit Rita's Kaartenparadijs, van scheve geplette Amsterdamse grachtenpanden, rimpelig weerspiegeld in het water. Verwrongen, verfrommelde huizen die afgezakte kniekousen leken te hebben.

Die platte neus met die wijkende kin eronder had ze ook niet voor niets. Zeker klem gezeten tussen haar bed en de muur. En ze had een hometrainer. Daar trapte ze zich ongelukkig op, onderweg naar nooit en nergens. Verdwalen was onmogelijk. Ook buitenshuis had ze niets te vrezen. Ze liet een spoor van korrels achter, die van haar zwaar opgemaakte gezicht vielen zodra ze een spier vertrok.

Frans had geopperd de hometrainer via een dynamo aan te sluiten op de vijf ventilatoren in zijn huis.

De ventilatoren waren een noodzaak. Frans had het altijd warm. Bij de kleinste inspanning brak het zweet hem uit.

Hij kleedde zich als een toerist: korte broek, poloshirt. Uit zijn borstzak, op harthoogte, stak, als een pochet, een smetteloze strippenkaart die hij nooit gebruikte. Hij betastte hem alleen maar. Dat deed hij opvallend vaak, alsof het een tic was. Als hij in een goed humeur was, trippelde hij er met zijn vingers overheen.

In zijn achterzak bewaarde hij zijn paspoort.

Bijna elke dag zat hij op het bankje bij de bushalte voor zijn huis, altijd in het midden en met zijn armen gespreid op de rand. De bussen richting Amstelveen en Schiphol reden af en aan, maar hij stapte niet in. Nooit.

Als hij niet bij de bushalte zat, zat hij binnen in het tussenhalletje, het voorportaal, op het bankje naast de elektrische deuropener, een ijzeren staaf met een grote rode knop erbovenop. De Paddestoel.

Frans speelde graag voor portier. Stond iemand voor of achter de deur, dan sloeg hij met zijn vlakke hand op De Paddestoel. Soms ging hij erop zitten en drukte met zijn achterwerk de knop in.

'Sesam open u,' zei hij op een dag, terwijl hij op De Paddestoel sloeg. 'Kabouter Spillebeen om u te dienen.'

Ik ging naar buiten en zei: 'Dank je, wat een luxe.'

'Daar ben ik voor.'

Hetzelfde had hij de vorige dag ook gezegd. Ik had

boodschappen gedaan. Hij was bezig de folders die uit de brievenbussen staken naar binnen te duwen.

'Een beetje post bezorgen is er tegenwoordig ook niet meer bij,' zei hij.

'Aardig van je dat je dat doet.'

'Daar ben ik voor.'

'Nou, nou,' had ik toen gezegd. 'Is het zo erg?'

'Ja.'

En ik zei het weer. 'Nou, nou, is het zo erg?'

'Ja, zei ik toch?'

'Wat is er dan?'

'Ik zie er zo verschrikkelijk tegen op,' zei hij.

'Tegen de renovatie?'

Hij antwoordde niet.

We liepen naar de trap.

'Ik zie al de hele dag een boom voor me,' zei hij.

'Een boom? Hoezo?'

'Zoals ik zeg, een boom. Een omgevallen boom.'

'Wat betekent dat dan?'

'Weet ik niet.'

'Iedereen is van slag door die renovatie,' zei ik. 'Je moet je niet zoveel zorgen maken. Het duurt nog wel een tijd, misschien nog wel twee jaar. Dit soort projecten loopt altijd vertraging op. Dat is algemeen bekend. Voordat iedereen uit huis is geplaatst, dat alleen al.'

'Ik denk het niet,' zei hij.

'Wat niet?'

'Dat het nog twee jaar duurt.'

'Geloof me nou maar.'

'Tegen die tijd ben ik allang verdwenen.'

'Verhuisd?' vroeg ik.

Hij vertelde dat hij een brief uit Australië had gekregen van de vriendin van Insulinde, uit Kiama. Hij had haar geschreven en naar het adres van Insulinde gevraagd.

'Insulinde woont er ook,' zei hij.

'In Kiama?'

'In Australië, in Queensland.'

Ik zette mijn voet op de trap.

'Wil je hem zien, die brief?' vroeg hij. 'Die kan ik je zo laten zien, ik heb hem bij me.'

'Hoeft niet.'

Hij trok de brief uit zijn zak, een flinterdun ouwelachtig luchtpostvel. 'Kijk.' Hij wapperde ermee voor mijn gezicht heen en weer.

Ik keek, vluchtig. De postzegel was een kangoeroe, als ik het goed zag. Het kon ook Vincent van Gogh zijn met strohoed. Of prins Bernhard op safari.

Een uur later belde Frans me op. Hij had een woning aangeboden gekregen en of ik wist waar Drakenstein was.

'Het moet ergens in Buitenveldert zijn,' zei hij.

'Wacht even,' zei ik. 'Dan zoek ik het op.'

Ik pakte de stadsplattegrond en vouwde die open op mijn schoot.

'Het is in Buitenveldert,' zei ik.

'Dat weet ik ook.'

'Het is een zijstraat van Nedersticht,' zei ik.

'O, nee, niet in een zijstraat, dat wil ik niet.'

'Waarom niet?'

'Daar zijn geen bushaltes. Ik moet wel een bushalte voor de deur hebben.'

Hij hing op.

'Bedankt,' zei hij nog.

Of het nu zomer was of winter, Frans liep altijd op slippers. Met zo'n brede band aan de bovenkant die vaak in de bak met afgeprijsde artikelen liggen voor een drogisterij of schoenmaker. Een grabbelton. Waterschoenen, teenslippers, pantoffels, haarbanden, haarspelden, clips, het zit er allemaal in.

Met trage uithalen sleepte hij zich voort. Hij heette Frans van Putten, maar iedereen noemde hem Frans Mandje, omdat zijn stappen het geluid maakten van boodschappenmandjes, die door de mensen in de rij met hun voeten stukje bij beetje over de vloer naar de kassa worden geschoven.

Frans kon niet anders. Hij had suikerziekte, was dik, kortademig en slechtziend. Een paar jaar geleden had hij twee tenen moeten laten amputeren. Je kon het aan zijn handschrift zien. Tussen de woorden gaapten grote gaten, alsof hij in lettergrepen schreef. Het was het handschrift van een man met geamputeerde tenen.

Na die amputatie had hij in het ziekenhuis zijn eerste zelfmoordpoging gedaan. Met insuline. Kort daarop, weer thuis, deed hij de tweede. Weer met insuline.

Lijn 12 wordt omgeleid.

Ik denk aan onze eerste ontmoeting in de hal.

Frans zat voorovergebogen op het bankje in het voorportaal met Poekie, de poes van Trudie, aan zijn voeten. Hij aaide Poekie alsof ze een hond was, klopte haar met zijn hand hardhandig op haar flanken.

Poekie had er geen last van. Ze schuurde snorrend en ronkend met haar kopje langs Frans' enkel.

Hij krieuwelde met zijn vingers onder haar kin en zei: 'Poekie braaf?'

Ik hoestte.

Frans kwam met een rood hoofd overeind, terwijl hij een kam uit zijn achterzak trok. Met die kam, die hij snel door zijn haar haalde, was zijn paspoort mee omhooggekomen. Het viel op de grond toen hij zijn kam weer opborg. Hij raapte het op en stak het weer in zijn zak, maar niet zonder er even in gekeken te hebben, alsof hij zijn naam vergeten was of even controleerde. Ik zag zijn foto. Plukken wit haar omlijstten zijn kale kruin, alsof hij aan het roken was en een rondje had geblazen dat boven zijn hoofd was blijven hangen.

Hij wist het weer.

'Frans van Putten,' zei hij.

Ik gaf hem een hand en stelde me voor.

Hij boog zich weer over Poekie heen. Zorgvuldig kamde hij haar pels en haar staart met het lichte puntje aan het eind. Poekie ging op haar rug liggen, strekte zich uit. Met haar pootjes stijf omhoog.

'Ik wist niet dat katten zo lang waren,' zei ik. 'Dat is me nooit opgevallen.'

'Lang als een haas,' zei Frans.

'Een haas?'

'Een neergeschoten haas in het gras.'

De tram stopt voor de achteringang van het Rijksmuseum.

'Achteringang Rijksmuseum, dames en heren,' roept

de conducteur om. 'Voor diegenen onder u die de achterkant van de schilderijen willen bekijken.'

Hij is in vorm. Bij het Cornelis Troostplein roept hij: 'Cornelis Troosteloosplein.'

Frans werd door de mensen geweerd, ze waren bang voor hem. Het was zijn eenzaamheid. Hij was zelf ook bang, al wist hij niet waarvoor. Ja, hij was bang om blind te worden, zoals zijn overleden moeder, die ook suikerziekte had. Maar dat was iets anders.

De tram rijdt hard bellend door de bocht de Churchilllaan in.

Lang geleden had Frans in de gevangenis gezeten. Hij werkte in die tijd op een kantoor van de JAL, Japan Air Lines. Hij had fraude gepleegd. Het was bijna vanzelf gegaan, niemand merkte het. Jarenlang kon hij ongehinderd zijn gang gaan, niet in staat te stoppen. Toen hij eindelijk werd gesnapt was hij opgelucht. In het begin had hij zich bevrijd gevoeld, later niet meer en in de gevangenis natuurlijk helemaal niet.

'Maasstraat,' roept de conducteur om.

Na zijn scheiding was hij 'in de fout gegaan'. Het waren zijn eigen woorden. Dure auto gekocht, mooie vrouwen versierd. Tijdens zijn huwelijk had hij zijn vrouw nooit bedrogen, trouw als geen ander was hij. 'De laatste der Mohikanen', noemde hij zichzelf.

Een jaar na zijn scheiding had hij haar ontmoet, zijn grote liefde. Ze kwam uit Indonesië en werkte als au pair in Nederland. Het was liefde op het eerste gezicht, van haar kant ook. Insulinde noemde hij haar. Twee maanden later waren ze getrouwd.

Ze gingen op huwelijksreis naar Kiama, waar een

vriendin van haar woonde. Eerst op vakantie en dan naar Indonesië. Hij zou emigreren. Alles had hij voor haar over, als hij maar bij haar kon zijn. Over de gevangenisstraf die hij nog moest uitzitten, zweeg hij. Hij zei dat hij een paar maandjes op zakenreis moest. Daarna konden ze vertrekken.

Voordat hij naar de gevangenis ging, liet hij zijn meubels naar Indonesië verschepen.

Toen hij drie maanden later vrijkwam, was ze vertrokken. Insulinde, zijn droom. Zijn alles, zijn leven. Weg was ze. Elke dag nog dacht hij aan haar.

Bij de Waalstraat stap ik uit.

Ik loop in de richting van de Rooseveltlaan en de President Kennedylaan.

Daar ga ik op het bankje zitten.

Ik kijk omhoog en denk aan die laatste dagen. Aan de zondagavond toen ik hier op hetzelfde bankje zat. En aan de maandag daarop.

Ik keek en keek. En riep: 'Frans?'

Al na een halfuur zwaaide hij; meestal duurde het langer. Zie je wel, dacht ik. Alles komt goed. Waarom niet? Het is toch altijd goed gekomen.

Maandag was het windstil en benauwd.

De hele buurt stond op het grasveld. Iedereen keek omhoog.

Een brandweerman ging met een ladder naar boven.

Ik stond ook op het grasveld.

De brandweerman brak zijn raam open.

Ik rilde, ondanks het drukkende weer had ik het

koud. Het leek alsof er een sneeuwbal in mijn hoofd zat die steeds groter werd. Had hij een overdosis insuline genomen?

Een medewerkster van de Thuiszorg kwam naast me staan.

Ze zei iets.

Ik verstond haar niet.

Even was het stil.

'Een geldverslindende operatie,' zei ik, wijzend naar de brandweerman.

Ze knikte en zei: 'Een geldverspillende operatie, zeg dat wel.'

'Geldverspillend, ja. Dat bedoel ik.' Waarom ik dat zei, weet ik niet. Misschien omdat de Thuiszorg het altijd over bezuinigingen had, of omdat ik vurig hoopte dat het een geldverspillende reddingsoperatie zou zijn, dat het loos alarm was. Dat Frans ineens levend lachend zijn hoofd uit het raam zou steken, dat hij zou zwaaien en keihard roepen. 'Kiekeboe, koekoek, kiekeboe, koekoek.' Zijn duim op zou steken.

Zag ik iets bewegen voor het raam? Ik keek en keek.

'Zeg dat wel,' zei de medewerkster van de Thuiszorg. 'Wat zegt u?'

'Geldverspillend is het, precies wat u zegt.'

'Frans,' roep ik. Ik kijk onafgebroken naar zijn raam.

Een vrouw die haar hondje uitlaat, kijkt verschrikt om zich heen.

Frans lag in de gang.

De brandweerman zei dat hij zijn tafel tegen de muur

had geschoven en zijn stoelen erbovenop had gezet. De rest van de meubels stond opgestapeld in de gang en de keuken. Alles klaar om vervoerd te worden, voorzien van labels, allemaal met een Q erop, alsof de verhuiswagen in aantocht was en de verhuizers elk moment konden aanbellen. Alles was tot in de puntjes geregeld, ordelijk. Alleen zijn boeken lagen verspreid op de grond voor de boekenkast.

Er zat een musje in zijn huis gevangen. Toen de brandweerman het raam openbrak, was het meteen naar buiten gevlogen.

Ik roep weer: 'Frans.' Ik denk aan het musje. Frans moet geprobeerd hebben het te vangen. Het was naar binnen gevlogen, de gang in. Van de gang was het naar de keuken gefladderd en naar de woonkamer.

Hij kon het maar niet te pakken krijgen. In de woonkamer was het klem komen te zitten tussen de muur en de boekenkast. Hij had zijn armen om de kast geslagen en die een eindje van de muur af getrokken, terwijl hij de boeken met zijn hoofd en lichaam probeerde tegen te houden. Dat lukte niet, het ene boek na het andere viel van de plank. Hij had het musje willen bevrijden. Zo moet het zijn gegaan.

'Frans.' Ik zie hem voor me, in zijn korte broek en met zijn strippenkaart op harthoogte. Ik zie hem op De Paddestoel zitten, heen en weer wippend, zijn vingers trippelend over de zones op zijn strippenkaart. Altijd binnen handbereik, klaar voor gebruik. Stel dat.

Abrupt sta ik op.

Met grote stappen loop ik naar de tramhalte. Labels

op zijn meubels met een Q. Dat had de brandweerman gezegd.

Ik weet het zeker, Frans had de bus naar Schiphol genomen, was op het vliegtuig gestapt en naar Queensland vertrokken. Het bewijs was er. De Q op zijn meubels, die klaar stonden om verscheept te worden. Frans was niet dood. Hij is op zoek naar Insulinde. Hij zal haar vinden. Grote kans dat hij haar al gevonden heeft.

Ik steek mijn hand op.

De tram stopt, ik stap in. Het is dezelfde conducteur als op de heenweg, ik heb geluk. Hij stempelt mijn strippenkaart af op de zevende strip.

'U wilt vandaag zeven worden?' vraagt hij.

'Ja,' zeg ik. Zeven jaar, dat lijkt me wel wat.

'U wilt vandaag veertien worden,' zegt hij tegen de vrouw achter me.

'Goed, jongen,' zegt ze. 'Maak me blij.'

Blij met veertien? Dat vind ik maar niets, veel te oud. Zeven is beter.

Ik loop naar voren, maak een huppeltje. Is mijn lievelingsplekje nog vrij? Achter de chauffeur bij het raampje wil ik zitten. Daar heb ik het beste uitzicht van iedereen.

Er zit nog niemand.

Ergens

Ergens in Hoorn is een supermarkt die niet alleen blauwe, maar ook groene boodschappenmandjes heeft. Je kunt kiezen. Groen is de kleur van de alleenstaanden. Klanten met een groen mandje laten weten dat ze een partner willen. Ze zijn zogezegd in de aanbieding. Hier denk ik aan als ik mijn eigen supermarkt in loop, die alleen maar blauwe mandjes heeft.

Ik ga recht op de mandjes af, mijn arm strekt zich al. Dat doet hij altijd vanzelf, alsof hij geprogrammeerd is. Mijn hand grijpt mis. De mandjes zijn verplaatst. Ze staan hoog opgestapeld voor de middelste kassa's, waar ik alleen maar kan komen door tegen de stroom in de supermarkt in te gaan, alsof ik een glijbaan op loop. Een spookglijder dus.

Liever een wagentje. Terwijl de mandjes door een medewerker op een metalen onderstel op wieltjes worden gezet, neem ik een wagentje.

Ik ben nog niet door de toegangspoort of word aangesproken door een jongen achter een tafel voor het schap met de blikgroenten.

'Mevrouw, mag ik u iets vragen?'

'Als het niet te lang duurt.'

'Zou ik u wat mogen aanbieden?'

Op de tafel staan doosjes waar gloeilampen in lijken te zitten.

Hij schuift er één naar me toe.

Ik pak het op en bekijk het. Er staat een wit peertje met gele stralen op en een windmolen. Om die windmolen gaat het.

'Hebt u weleens van groenstroom gehoord?'

'Daar heb ik net gisteren een folder van in de bus gekregen.'

Ik zet het doosje terug op tafel.

'Als u nu overstapt, ontvangt u een cadeaubon van dertig euro. Alleen even een handtekening zetten.'

'Nee, dank je.'

Ik loop door.

'Dus u wilt niet meewerken aan een beter milieu?' roept hij me na.

Eerst slagroom halen, denk ik.

De slagroom is voor Dawn, 'Dawnie' voor haar dierbaren, die in een zorgcentrum zit, 'verblijft' moet ik zeggen, waar een manager-zorgdivisie aan het hoofd staat. 'Vive la Vie' heet het. Vorig jaar heette het nog De Vink en was het een bejaardenhuis met een directrice.

Dawn heeft gevraagd of ik een boodschap voor haar wil doen: vier bussen slagroom van het merk Tastoe. Ze is volgende week jarig. Tastoe moet het zijn, de reclame zegt het ook. *Tastoe voor en Tastoe na.*

Ik ken Dawn bijna twee jaar. We ontmoetten elkaar hier in de supermarkt voor het aanplakbord met de advertenties. Ze had een kaartje bij zich van Solotours, een Bemiddelingsbureau voor Alleengaanden Reizen. 'SOLOTOURS ORGANISEERT 8-daagse cruise in het gezellige CARAÏBISCH GEBIED,' stond erop. Of ik het voor haar op wilde hangen. Ze kon er niet bij.

Vive la Vie is voorzien van het modernste comfort. Het heeft geen afdelingen, maar tien woonunits met zachtbruin laminaat in de huiskamers. Geen conversatiezaal of ontmoetingsruimte, maar een grand café voor communicatie en *events*. En een bistro, 'Amuse', zonder kok, maar met een voedingsmanager in de keuken. De zaal waarin elke dinsdagavond Kunst na Arbeid, het koor, oefende en waar ook de mannensoos bijeenkwam, is een stiltekamer geworden, met groene stoelen en een grasmat op tafel. De schrootjes zijn verwijderd, de muur is betimmerd met verticale stroken boomschors.

Sleutels en sloten bestaan niet meer. Iedere bewoner – cliënt – heeft een pasje dat door een gleuf in de deur gehaald moet worden, zoals in een hotel. Het is een experiment. Na een jaar zal er geëvalueerd worden.

De wandelpaden in de tuin zijn geasfalteerd.

Ik rijd door de gangpaden naar de zuivelafdeling.

Even later steven ik met vier rollende bussen in mijn wagentje op de lange rij voor de kassa af. Ineens komt dat wagentje me belachelijk groot voor, alsof ik de chauffeur ben van een harmonicabus waar maar één passagier in zit. Net als ik achteraan wil aansluiten, gaat kassa drie, naast de snelle-mandjeskassa, ook open.

'Ik ben ook open, hoor,' roept de caissière tegen me.

Ik eropaf, de vaart zit er nog in.

Andere mensen uit de rij volgen mijn voorbeeld. Ze mopperen.

Ik zet de Tastoe op de band en pak het beurtbalkje om aan te geven waar mijn boodschappen ophouden en die van de volgende klant beginnen. 'En nu ik' staat er op dat balkje.

De volgende klant is een man, bruin gebronsd. Hij tikt op mijn schouder, harder dan nodig is, en zegt: 'Mevrouw, wij stonden al in de rij. Dat is niet netjes van u.'

De rij achter hem mompelt instemmend.

Ik draai me om. Hij komt me bekend voor.

'O, sorry, dat zag ik niet.'

Hij kucht veelzeggend.

'Ik zag het echt niet.'

'Ja, ja. Nog een beetje liegen ook. Staan we de boel te besodemieteren?'

Nee, denk ik. We staan agressief te worden, nou goed, kutzak? Een raar scheldwoord, kutzak, maar ik denk het echt.

'Sorry, meneer,' zeg ik. 'Het was een reflex. Ik kwam aanlopen en liep zo door.'

'U zag het wel,' zei hij.

'Nee.'

'Jawel, brutaal hoor.'

'Uw mening, uw probleem.'

De man weer: 'Lange tenen?'

Waar ken ik hem van?

Op de deur van Dawn hangt een plaat van Londen bij nacht, kinderlijk vastgeplakt met grote repen plakband. Acht repen in totaal: vier in de hoeken, twee in het midden van de zijden. Twee keer per jaar verwisselt ze de plaat voor een andere stad bij nacht, met een uitgespaard gat voor het oogje in de deur.

In de twee jaar dat ik haar ken heeft ze nog nooit iets over zichzelf verteld. Ik weet niets van haar, niemand weet iets van haar. Ze laat zich met geen woord over vroeger uit. Ze heeft een geheim, daar is iedereen het over eens.

In Vive la Vie wordt over iedereen gepraat, ook over Dawn. Ze zou een miskraam hebben gehad toen ze achttien was. Of een doodgeboren kindje. Ze zou als jong meisje op vakantie in het buitenland zwanger zijn geraakt en het, weer thuis in Nederland, onder druk van haar ouders hebben laten weghalen. Voor haar eigen bestwil. Ze zou haar leven lang naar een kind verlangd hebben, maar kon het niet krijgen. Haar kind zou verongelukt zijn, vier jaar oud.

Zeker is dat ze bij de Bijenkorf heeft gewerkt. Het is net alsof ze nergens aan herinnerd wil worden, heer en meester over haar herinneringen. Zou ze daarom elk jaar voordat ze op vakantie gaat bij de vvv een videoband van het land van haar bestemming kopen, met toeristische tips en bezienswaardigheden? Want dat doet ze. Die band laat ze na haar reis aan vrienden en kennissen zien, alsof ze het allemaal zelf heeft meegemaakt en gefilmd. Stel, ze gaat dit jaar naar Italië. Dan koopt ze voor haar vertrek een video van Italië, speelt die af en af en nog een keer, totdat ze haar toekomstige herinneringen kan dromen. Ze heeft al vakantieherinneringen als de vakantie nog moet beginnen.

Ineens weet ik wie hij is.

'Zijn we vandaag gauw klaar,' zegt een vrouw achter in de rij.

Ze heeft het tegen mij.

Hij heet Frits en is de huiskapper van Dawn en haar twee vriendinnen. Ze hebben alle drie geblondeerd kort haar met één rode lok, die als een bloedspoor over hun voorhoofd en slaap langs hun wang naar beneden loopt.

Frits heeft bij Endemol gewerkt en presentatrices gekapt. Ze leken allemaal op elkaar. Evenbeelden van de beroemdste uit de stal. Goh, wat ben jij leuk, ze zouden je moeten klonen. Zijn achternaam weet ik ook, ik kan er nu alleen zo gauw niet op komen. Nooit zal ik me door hem laten knippen. Dan maar niet beroemd.

Hij gaat drie keer per jaar op vakantie. Voordat hij gaat, ligt hij elke dag op het strand of in het sauna- & zonnecentrum te zonnebaden. Bruin verbrand stapt hij het vliegtuig in, alsof hij terugkomt van een lange vakantie op een tropisch eiland.

Dawn mag hem graag. Zodra haar haar aan weerskanten van de scheiding kleur bekent en de grijze uitgroei als een snelweg over haar hoofd loopt, beginnend bij haar kruin, maakt ze een afspraak met hem. Stelt ze het uit, dan lijkt het alsof er een veer op haar hoofd ligt, de scheiding de schacht.

'Zijn we vandaag gauw klaar,' zegt de vrouw achter me nog een keer, harder.

Ik kijk over mijn schouder en vraag: 'Heeft u het tegen mij?'

Ze heeft gelig haar, vast een klant van Frits. Ze snuift.

'Als u haast heeft moet u 's ochtends vroeg om acht uur komen,' zegt ze.

'Het is als een vlek op je rug,' zegt de man die voor haar staat. Hij zegt het tegen een oude vrouw met een rollator in de rij naast ons, die hem net vroeg of hij weer helemaal beter is.

'Vlek op je rug?'

'Ja, die kun je zelf ook niet zien, pas als een ander het tegen je zegt. Ik had zelf niet door hoe slecht het met me ging. Ik zag het niet, moest het van anderen horen. Toen pas had ik het in de gaten.'

Bij de uitgang probeert een man beweging in een wagentje te krijgen waarvan de wieltjes geblokkeerd zijn.

'Die krengen rijden niet,' roept hij. 'Je moet er goddomme een trekpaard voor spannen.'

Ik bied Frits met een weids armgebaar aan alsnog voor te gaan. 'Geloof het of niet, het was een vergissing.'

Hij slaat mijn aanbod af en zegt: 'Het is nog vroeg, zullen we maar zeggen.'

'Voor mij niet,' zeg ik.

'Ongekend,' zegt hij hoofdschuddend.

Heet hij niet Frits Bomhof?

Weer thuis zet ik meteen de computer aan. Het klopt, hij heet Frits Bomhof. Zijn naam staat op de lijst die ik voor Dawn getypt en uitgeprint heb. Het is een privéopdracht.

Het gaat om adressen van mensen die op haar begrafenis uitgenodigd zullen worden. Crematie moet ik zeggen, want ze wil gecremeerd worden. Ze gaat nog lang niet dood. Dat kun je aan haar meubels zien, die zijn gemaakt voor een lang leven. Degelijk en zwaar. Ze is net zo oud als koningin Beatrix en op dezelfde dag geboren, 31 januari. Dawn noemt haar koningin *Berenstrik*, omdat ze op bijna elke foto van vroeger met een enorme strik in haar haar staat.

Achter Frits' naam op de lijst staat een asterisk. Alleen mensen met een asterisk zullen voor de koffietafel worden uitgenodigd. Toen ik aan die opdracht begon deden die asterisken me aan de kroon op het hoofd van het Vrijheidsbeeld denken, en aan wuivende palmbomen. Maar nu lijkt de asterisk achter zijn naam ineens zwarter en groter dan die van de andere gasten, alsof het een werpster is. Ik moet aan nagels en haren denken die doorgroeien als je dood bent. Weet je wat? Ik schrap de kapper van de lijst. Eigen schuld.

Dawn geeft me ook weleens een algemene opdracht. Ze zit in de bewonerscommissie, die via het prikbord in de hal, memobord genoemd, contact met de bewoners onderhoudt. Mededelingen, waarschuwingen, notulen van vergaderingen, het wordt allemaal met ronde gekleurde magneten ter grootte van een euro door Dawn namens de commissie op het memobord bevestigd. Het glazen deurtje ervoor moet met een sleutel opengemaakt worden. Alleen Dawn heeft een sleutel.

Dawn heeft geen computer. De teksten op het prikbord komen uit mijn computer.

'Attentie,' staat er in het midden. 'Ga niet in op telefonische aanbiedingen om de zenders van uw televisie opnieuw in te stellen, want het gaat in dit geval om onbetrouwbare personen.' Daaronder staat: 'Geachte bewoners. Wilt u in verband met oververhitting van uw buren allemaal de verwarming in uw badkamer uitdoen?' En op de plantenpot schuin tegenover het prikbord staat: 'DIT IS GEEN ASBAK'. Die tekst moest ik van haar met grote letters uitprinten, vet en cursief.

Aan het eind van de middag bel ik bij haar aan.

Als ze opendoet, houd ik haar de plastic tas van de supermarkt voor en zeg: 'Ik kom de boodschappen brengen.'

Ze loopt voor me uit de kamer in.

Ik haal de bussen uit de tas en zet ze op de salontafel naast het groene biobakje op wieltjes voor gebruikte theezakjes.

Zij gaat zitten, ik ga zitten.

Ik geef haar de lijst met adressen aan.

'Moment,' zegt ze.

Ze legt de lijst naast zich neer op de grond, schuift naar het puntje van haar stoel en buigt over de tafel heen. Langzaam laat ze een theezakje in een glas heet water op en neer gaan.

'Ook een kopje?'

'Nee, dank je.'

'Iets anders?'

Ze staat op en loopt naar de keuken.

Even later komt ze terug met een bord toastjes met selleriesalade, die ter ere van het Nederlands elftal en de Europacupwedstrijd van morgen oranje is, zoals het motiefje op het closetpapier dat ik vanmorgen bij de kassa in het mandje van Frits zag liggen: oranje leeuwtjes. Nederland – Italië, nog één nachtje slapen.

Ze houdt me de toastjes voor.

Ik neem er een. Ik kan proeven dat Nederland gaat verliezen.

Ze zet het bord op de salontafel, gaat weer zitten.

'Zeker weten?' vraagt ze.

'Zeker weten wat?'

'Wil je echt niks drinken?'

Ik knik.

'Gunst,' zegt ze met de lijst voor haar gezicht. 'Ik was helemaal vergeten dat Ellie Driehuizen is verhuisd. Dat zie ik nu pas. Nu weet ik het weer.'

Ik krijg het warm. Zou ze het zien? Frits missen? Zweetdruppeltjes prikken op mijn voorhoofd. Gaat ze vragen waarom hij op de lijst ontbreekt? Waarom ik hem geschrapt heb? Weet ze het?

Ze staat op en zegt: 'Ik wou je...'

'Zullen we de kast stofzuigen?' vraag ik gauw. Eens in de maand help ik haar ermee. Dan staat zij met de stofzuigerslang in de aanslag op een stoel voor de kast, terwijl ik de stofzuiger boven mijn hoofd houd, mijn voet achter de poot van de stoel.

'Het kan nog wel een tijdje,' zegt ze met een hoofdknik naar de kast.

Op die kast staat een houten hobbelpaard dat ze elke maand afstoft. Ik til hem dan voorzichtig van de kast, alsof ik een baby draag, ervoor zorgend dat ik nergens tegenaan stoot. De eerste keer liet ik hem bijna hij uit mijn handen vallen, zette hem hardhandig op de grond. Dat kon niet anders. Hij viel om. 'Kom maar, baby,' zei ze troostend toen ze hem op de been hielp.

Ze geeft hem altijd een sopje, zijn hoofd, hals, rug, buik, benen. Zacht en langzaam wast ze hem, met een spons die ze zo nu en dan boven zijn hoofd uitknijpt. Zodra het eerste waterstraaltje hem raakt, begint ze te lachen. Eén keer vroeg ze hem: 'Kietelt het?' Ik deed net alsof ik het niet hoorde. Ten slotte wrijft ze hem met een handdoek droog, snel, alsof ze bang is dat hij kou zal vatten.

Als ik hem weer op de kast heb gezet, blijft Dawn altijd nog een poosje staan. Dan kijkt ze met haar ogen dicht omhoog, alsof ze droomt terwijl ze wakker is, en gaat er een lichte rilling door haar lichaam, als de buitenste rimpeling van een steen in het water. Zolang ze daar staat, strijkt ze met haar handen ter hoogte van haar heupen haar blouse glad, langzaam, alsof ze er elk moment mee ophoudt. Zoals de aapjes in de etalage van de speelgoedwinkel, die, als de batterijen bijna leeg zijn, in slow motion met de stokjes op de trommel op hun buik slaan.

Vorig jaar stond er in plaats van dat paard een rood driewielertje met gele velgen op de kast. Zou het hobbelpaard ook vervangen worden? Waarom? Heeft het met haar geheim te maken? De verjaardag van haar kind? Elk jaar iets anders op de kast?

Het driewielertje glom en blonk als een spiegel. Het had rode trappers die er hetzelfde uitzagen als de handvatten van het rechte rode stuur. Eén trapper liet altijd los als ik het van de kast tilde. Dan was het net alsof er een houder van een verfroller met een rood handvat op de grond lag. Alleen de witte roller ontbrak. En als ik het, nadat ze het droog had gewreven, weer op de kast zette, rinkelde de groene bel altijd even na. Dawn bleef staan tot het ophield, roerloos, alsof ze dood was, maar niet kon omvallen.

Ze zegt het nog een keer: 'Ik wou je...'

Ze staat op.

'Moeten we echt de kast niet even stofzuigen?' vraag ik. 'Ik doe het graag.'

'Ik wou je wat laten horen,' zegt ze. 'Het is uit *Doctor Zjivago*.'

Ze gaat op de kruk zitten voor het keyboard naast de bank. Ze heeft het nog niet lang.

Ze kucht, kijkt de kamer in en knikt.

'Somewhere my love,' zegt ze. 'Ergens.'

Ze buigt over de toetsen en zingt 'Somewhere My Love'. Ze zingt vol overgave, geconcentreerd. Het klinkt vals, haar stem knelt, zoals haar blouse, waarvan de bovenste knoopjes wijken. Ze speelt als een kind dat op zijn metalofoontje 'Advocaatje ging op reis' oefent en met de klopper op drie verschillende klankstaafjes slaat voordat het de juiste toon raakt.

Na elke regel kijkt ze naar het hobbelpaard op de kast. De drie rimpels op haar voorhoofd, die van wenkbrauw naar wenkbrauw lopen, zijn fijn als de pootjes van een langpootmug. Bij elke hoge toon springen ze op, alsof ze aan onzichtbare draadjes vastzitten.

'Mooi,' zeg ik als het uit is. Ik geloof dat ik het meen.

'Nog een keer?' vraagt ze.

Ik knik.

'Somewhere my love,' zegt ze weer. 'Ergens.' Weer

kijkt ze na elke regel naar het hobbelpaard, deze keer met tranen in haar ogen.

Ik zing zo hard mee dat er al na een paar woorden van alle kanten op de verwarmingsbuizen wordt gebonkt, alsof het nacht is en ik iedereen met mijn boormachine wakker houd.

Dawn lacht en zegt: 'Niks van aantrekken, dat doe ik ook niet. Luister naar een oude vrouw, gewoon doorgaan.' Ze lacht terwijl ze huilt.

Ik zing door tot het eind. En zie de regenboog in haar ogen.

Droomboom

Het is een koude donkere dag met een grijze winter-
lucht en veel ijs en sneeuw. Zo'n dag die op zichzelf
vooruitloopt, waarop het om drie uur al zes uur lijkt
en de straatverlichting aan gaat. Een dag die maar beter zo snel mogelijk voorbij kan zijn.

Om vier uur stapt Lena uit de tram. Ze loopt naar
de oversteekplaats en gaat voor het stoplicht staan.
Snackbar Arie aan de overkant heeft zich verslapen en
wordt met tegenzin wakker. Langzaam gaat het rol-
luik omhoog. De Waterbeddenspecialist daarnaast
maakt reclame voor de nacht, hij garandeert in neon-
letters de kortste weg naar dromenland. Boven een ma-
tras in de etalage staat: 'Wat kan slapen toch mooi
zijn.' Op de etalageruit van Het sauna- & zonnecentrum op de hoek staat: 'De zon schijnt als de klant het
wil.'

Groen. Gauw naar Jacob.

Ze steekt over. Een tram zonder passagiers rijdt
hard bellend de halte voorbij. Vast een lestram, of een
tram op weg naar de remise. Langs het trottoir glinsteren langwerpige sneeuwruggen. Ze doen haar aan
de dubbele ijslolly's uit haar jeugd denken. Als je de
limonade eruit had gezogen brak hij in tweeën en
hield je twee grijze sneeuwruggen op een stokje in je
hand.

Ze zet de vaart erin. Aan de dakgoten van de huizen hangen ijspegels, lange en korte, in groepjes van vijf, zes, alsof er panfluiten hangen. Zacht spreekt ze de namen van de winkels uit die ze passeert. Dat maakt haar minder bang.

In de etalage van 'Hulleman, heerlijke handwerkbonbons', lokt een hoge taart. Ze loopt ernaar toe. Een fietser rijdt haar bijna omver, een Surinamer. Ze kan nog net op tijd opzij springen. Hij rijdt hard bellend met een steigerend voorwiel het trottoir af en weer op, en nog een keer. Dan kijkt hij over zijn schouder en zwaait. 'Hé, schatje, mag ik even aan je poepertje likken?' roept hij. Het klinkt zangerig. Ze denkt aan een liedje van vroeger. 'Als ik twee keer met mijn fietsbel bel, nou dan weet je 't wel, nou dan weet je 't wel...'

De taart is een portrettaart, een bruidstaart van vijf verdiepingen, met op de begane grond het stralende gezicht van de bruid in de vorm van een hart, omzoomd met roosjes van marsepein die met parels zijn bespikkeld. De taart ernaast is ook een portrettaart. Het is Rembrandt, met aan de ene kant van zijn hoofd een palet en aan de andere kant een penseel.

Een groepje verklede schoolkinderen verdringt zich voor de etalage. Engelen met een kroontje op en vleugels om. Een meisje zegt: 'Meester, ik ben een parelengel.' Ze wijst naar de met parels bespikkelde roosjes. Als ze even later oversteekt, zegt ze: 'Nu ben ik een oversteekengel.'

Als alle kinderen zijn overgestoken, loopt Lena verder.

Vlak bij Jacobs huis kijkt ze op haar horloge. Veel te vroeg, hij is nog aan het werk. Ze draait zich om en loopt de straat uit.

Een jaar geleden bij de nieuwjaarsborrel van het alfabetiseringswerk heeft ze Jacob ontmoet. Hij is de beste vriend van Onno, die projectleider was en sinds kort pr-medewerker in een ziekenhuis is.

Eergisteren belde Jacob haar op. Of ze de radiator nog terug wilde hebben die hij van haar had geleend. Hij had een nieuwe gekocht.

'Ik hoef hem niet terug,' zei ze. 'Hou maar.'

'Vind je het goed dat ik hem in de *Viavia* aanbied?'

'Prima, hij is van jou,' zei ze.

'Delen we de opbrengst. Oké?'

'Ik denk niet dat je er veel voor krijgt.'

Hij nodigde haar uit bij hem te komen eten. 'Als dank voor de warmte al die maanden.'

Ze verheugt zich erop. Een vriend van Onno is een vriend van haar. Is ze bij Jacob, dan is ze bij Onno.

Onno is er altijd, ze hoeft haar ogen maar dicht te doen of hij is er. Bij haar sollicitatie, in een leslokaal achter in het buurthuis, zag ze hem voor het eerst.

Ze ziet hem weer het lokaal in komen.

Marjorie, het hoofd, begroet hem met twee zoenen. Meteen daarna veegt ze met de toppen van haar vingers de lippenstift van zijn wangen, een intiem gebaar dat suggereert dat ze niet alleen maar collega's zijn, maar elkaar ook buiten het werk om zien. Zacht en zorgvuldig wrijft ze, alsof ze hem streelt. Dat maakt het nog intiemer.

Lena wendt haar hoofd af en leest wat er op het schoolbord staat. 'Psycho 666', staat erop. Het telefoonnummer van de duivel. Het gebaar van Marjorie doet haar aan Jeroen Krabbé denken bij de première van een James Bondfilm. Welke film weet ze niet meer, ze is geen fan van James Bond. Jeroen Krabbé speelt erin mee.

De aankomst van de sterren bij de bioscoop was op de televisie geweest. Prinses Diana en prins Charles waren er ook bij. Beelden van Diana die lachend een fles stukslaat op het hoofd van Charles, een nepfles, die in de film ook wordt gebruikt. Omstanders die juichend applaudisseren. 'More, more, we want more.' Een fles van suikergoed. Mierzoet suikergoed, dat moet fout aflopen. Jeroen Krabbé die met zachte hand de scherven van de schouders van de prins veegt, alsof ze elkaar dagelijks zien en de dikste vrienden zijn. Dat is niet zo. Prins Charles werd geconfisqueerd.

Nadat op de wangen van Onno de sporen zijn uitgewist, wrijft Marjorie met haar duim de lippenstift van haar vingertoppen, alsof ze het bekende geldgebaar maakt. Wie zal dat betalen? Dan zegt ze: 'Ik zal jullie even aan elkaar voorstellen. Lena, dit is Onno, hij is projectleider. Onno, dit is Lena, ze komt voor de dinsdagavondgroep van zes mannen.'

Ze schudden handen.

Het is alsof ze Onno al haar hele leven kent en altijd heeft geweten dat ze elkaar ooit zouden ontmoeten. Hij is er al vanaf haar geboorte. En daar staat hij ineens.

Ze wil iets zeggen, maar kan het niet. Ze hoort Marjorie en Onno over huizen en driehoeksruil praten.

'Driehoeksruil?' vraagt ze.

'Ik zoek een woning in de binnenstad,' zegt Onno. 'Maar vind maar eens iets.'

'Inderdaad, vind maar eens iets,' zegt ze.

'Ik zal *De Woonkrant* voor je nakijken,' zegt Marjorie.

'Ik ook,' zegt ze. Voor Onno wil ze alles doen.

Na haar sollicitatie zag ze hem overal, althans dat dacht ze. Ze had hem geroepen, naar hem gezwaaid, hem op zijn rug getikt. Ze zag hem fietsen toen ze in de tram zat, ze zag hem in trainingspak en op sportschoenen voor het stoplicht staan. Maar hij was het nooit.

Ze belde hem op en maakte een afspraak.

Een week later zaten ze tegenover elkaar aan een formica tafeltje in hetzelfde leslokaal als bij haar sollicitatie. Haar jas hing aan de ijzeren kapstok in de hoek, die de vorm van een cactus had.

Hij schoof een plastic bekertje met spa naar haar toe.

Ze pakte het aan. Toen de haartjes op hun vingers elkaar raakten, huiverde ze even. Ze zag zijn armband, zijn ring. Ja, ik wil, dacht ze. Ze nam een slokje, verslikte zich en morste. Ze haalde haar arm over het tafeltje en zei: 'Ik moet je iets vertellen, maar ik vind het zo moeilijk.'

'Dan verzin je toch wat,' zei hij.

Dat had ze onderweg ook tegen zichzelf gezegd. Dat ze altijd nog wat verzinnen kon, als ze het niet durfde te vertellen.

'Ik wil niet dat je denkt dat ik gek ben,' zei ze.

'Dat denk ik niet zo gauw, dat iemand gek is,' zei hij. 'Maak je geen zorgen.'

'Ik ben verliefd op je,' zei ze botweg. Maar ze had het gezegd.

Hij glimlachte en zei: 'Dat zouden meer mensen moeten doen.'

'Wat moeten doen?'

'Het gewoon zeggen.'

Meer zei hij niet. Hij zei niet dat het wederzijds was. Ook niet dat het niet wederzijds was. Dat kwam haar goed uit.

Ze stond op en liep naar de kapstok.

'Ik ben blij dat je er niet van geschrokken bent,' zei ze. Ze trok haar jas aan. 'Zo erg is het ook niet,' zei ze op de drempel. 'Ik heb per slot van rekening geen moord gepleegd.' Waarom ze dat zei wist ze niet.

'Ik zal er discreet mee omgaan,' zei hij.

Om halfzes belt ze bij Jacob aan. Zijn naambordje is nieuw. Bureau JA, Jacob Arends, angsttherapeut. Het staat met witte letters op een stenen plak. Sinds een maand houdt hij praktijk aan huis. Dat had hij door de telefoon gezegd. Wat het inhoudt weet ze niet. Zou het bordje door een patiënt van hem gemaakt zijn? Die kolkte van woede? Zo ziet het eruit. Als een bonk klei dat op een plankje was gekwakt en met twee vuisten platgeslagen. Het heeft de vorm van een grillige wolk.

Ze belt nog een keer aan.

'Ja?' zegt Jacob door de intercom.

'Lena.'

'Oké, ik doe open.'

Als ze de klik van de elektrische deuropener hoort, stoot ze met haar heup de deur open en gaat naar binnen. Angsttherapeut, denkt ze. Zou ze vanavond als ze weer naar huis gaat minder bang zijn? Ze heeft geen ervaring met therapeuten. Eén keer in haar leven heeft ze met een psycholoog gesproken, toen ze achttien was en niet wist wat ze wilde worden. Op advies van het arbeidsbureau had ze een beroepskeuzetest gedaan, inclusief een persoonlijkheidsonderzoek. Voor dat onderzoek had ze drie bomen moeten tekenen: een gewone boom, een fantasieboom en een droomboom. Haar gewone boom was een boom met lange, dikke wortels, die sterk en stevig in de grond verankerd stond. Haar fantasieboom had krullerige, zwierige uitwaaierende takken en een grillige stam met veel bultige uitstulpsels. Haar droomboom lag op zijn kant.

Ze zet haar voet op de trap en gaat naar boven. Aan de verveloze plek in het midden van elke tree en de oogjes aan weerskanten voor de koperen roetjes kan ze zien dat er een loper op heeft gelegen. Die kale plekken zouden de voetafdrukken van een monster kunnen zijn. Het Kwaad is haar voorgegaan.

De psycholoog had tijdens het nagesprek voortdurend zijn hoofd geschud. In plaats van immense wortels, zei hij, had ze beter een boom met holletjes in de stam kunnen tekenen. Of één met een schommel aan een tak, één vol kwetterende speelse vogeltjes, ook goed. Alles beter dan wortels.

Uitslag: bibliotheekacademie.

Daarna had ze nooit meer een psycholoog gezien. Wel, na de dood van haar ouders, een maatschappelijk werker. Haar vader en moeder waren verongelukt. Het vroor en het was glad. Het is zo lang geleden. Ze is er-aan gewend alleen te leven, ze weet niet beter. Soms lijkt het alsof ze nooit een vader en een moeder heeft gehad, of te vondeling is gelegd en haar ouders nooit heeft gekend. Niemand weet wie het waren. Geen briefje, geen dekentje, geen kleertjes, geen enkele aan-wijzing.

Alleen als het koud is, de dag donker is en de lucht grijs, moet ze weleens aan het ongeluk denken. Aan de boom. Niet eens altijd. Toen het net was gebeurd had ze met een mes een hart met een pijl in de stam van de boom gekerfd, met aan de ene kant de initia-len van haar vader en moeder en aan de andere kant die van haar. Elke dag uit school stapte ze van haar fiets en betastte het hart en hun namen. En dan huil-de ze even.

Ineens was het afgelopen. Op een middag reed ze er gewoon voorbij, alsof er nooit iets was gebeurd.

Jacob staat haar op de overloop op driehoog op te wach-ten.

Hij kust haar. Hij ruikt naar fruit.

Gehaast loopt hij zijn huis in naar de keuken, alsof er iets staat aan te branden.

Ze volgt hem.

Het is de fruitsalade.

'Bang dat de vitamines vervliegen?' vraagt ze.

Hij lacht. Zijn lach is breed. Alles is breed aan hem, zijn lichaam is het en zijn gebaren zijn het. Hij buigt over een transparante plastic slabak op het aanrecht, waar stukjes fruit in zitten. Hij pakt de bijpassende lepel en vork op, slaat ze even in zijn hand als castagnetten tegen elkaar en gaat aan het werk.

Hoofdschuddend roert hij de stukjes fruit door elkaar en zegt: 'Het ziet er niet goed uit. Ik weet het niet.' Alsof hij in de gedachtespinsels van een patiënt aan het wroeten is en een diagnose probeert te stellen.

'Cliënt', moet ze zeggen.

Ze haalt een fles wijn uit haar tas en zet die op het aanrecht, naast de fles likeur voor de fruitsalade.

'Doe je jas uit,' zegt hij. 'Dan schenk ik intussen wat in.'

Even later zit ze met een glas wijn in de voorkamer op een zwarte skai leren bank. Ze neemt een slok en zegt: 'Zeg je het als ik moet helpen?'

'Ik kan je niet verstaan met de kraan open. Ik was de peren vergeten. Even nog.'

Hoe meer fruit hoe beter, denkt ze. Ze zegt: 'Eet meer Freud en blijf Jung?' Een oude mop. Die had ze van haar zus Suze.

Jacob hoort haar niet.

Bij Suze in de keuken hangt al jaren een affiche van Freud. *'What's in a man's mind,'* staat er boven zijn hoofd. Zijn gezicht gaat over in het lichaam van een naakte vrouw, ongeveer zoals de vogels van *Lucht en Water* van Escher in vissen veranderen.

Ze hoort hem een aanrechtkastje dichtslaan.

'Moet ik echt niet helpen?'

'Ik kom,' zegt hij.

Er klinkt een belletje.

Dan komt hij met een dienblad in zijn handen de kamer in.

'Ik heb maar alvast voor je opgeschept,' zegt hij met een hoofdknik naar de borden op het blad. Voor de borden liggen twee kroppen sla.

Hij zigzagt tussen twee stoelen door.

Als hij dichterbij komt, ziet ze dat het geen kroppen sla zijn, maar ingenieus gevouwen groene katoenen servetten.

'Lukt het?'

'*Luctor et emergo*,' zegt hij. 'Lukt het vandaag niet, dan lukt het morgen wel.'

Hij zet de borden en de slabak op de salontafel voor de bank.

Het is de manier waarop Jacob bukt als hij het dienblad onder tafel schuift, die haar aan Onno doet denken. Niet dat Jacob en Onno op elkaar lijken, allesbehalve. Jacob is klein en gezet, Onno is lang, mager en lenig.

'Heb je Onno nog gesproken?' vraagt ze.

'Hij heeft een nieuwe vriendin. Daar ben ik wel blij om.'

'Want?'

'Alleen zijn is niets voor Onno,' zegt hij.

'Voor wie wel?'

'In wezen voor niemand, denk ik. Maar je hebt mensen die in hun eentje niet kunnen bestaan. Onno is zo iemand. Zijn naam alleen al, die zegt het al. Een dubbele N in het midden en dan ook nog eens een O aan het begin en eind, anoniemer kan het niet. Zo'n naam draag je met je mee, beïnvloedt en vormt je. Je gaat ernaar leven.'

'Is ze knap?'

Jacob strijkt met zijn vingertoppen over zijn wang. 'Knap? Ik vind van wel. Mijn moeder zou zeggen: *"Easy to look at."* Ze lijkt een beetje op jou.'

'Hoe heet ze? Ken ik haar?'

Hij staat op en gaat weer zitten.

'Marjolein,' zegt hij. 'Ze is een collega.'

'Marjolein? Nooit van gehoord. Marjolein? Bedoel je Marjorie soms?' Zou het Marjorie zijn? Marjorie die de lippenstift van zijn wang veegde? Ze denkt aan prinses Diana, ziet haar met de nepfles van suikergoed op prins Charles inslaan. En nog een keer, harder. Mierzoet suikergoed. Als dat maar goed gaat.

'Marjorie,' zegt Jacob nadenkend. 'Is ze een collega van hem?'

'Was.'

'Dan is zij het,' zegt hij.

'Of hij moet nu een collega hebben die Marjolein heet,' zegt ze. 'Wat wel heel erg toevallig zou zijn.'

'Marjorie, zo heet ze. Nu weet ik het weer. Marjorie van het alfabetiseringswerk. Kan dat?'

Ze knikt. Marjorie, wie had dat gedacht. Onno en Marjorie. Ze slaat haar ogen neer. In de donkere vlekken in de vloerbedekking ziet ze de schaduw van een hoofd. Daaronder nog een hoofd.

'Is er iets? Heb ik iets verkeerds gezegd?' vraagt hij. Ze schudt van nee.

'Zie je het ook?' vraagt hij. '"Shading" noemen ze het. Zie je het? Je keek zo.'

'Wat zie ik?'

'Die vlekken in de vloerbedekking. Ik zag je zo kijken.' Hij wijst naar de grond. 'Schijnvlekken zijn het, volgens de zaak dan.'

'Bedoel je dat het gezichtsbedrog is?'

'Zoiets, ja. Het heeft met de stand van de polen te maken. Dat moet je als klant dan maar geloven, ook al zie je duidelijke vlekken.'

Kwam ze Onno voor haar liefdesverklaring in het buurthuis overal tegen, ook al was hij het niet, daarna zag ze hem nergens meer. Dat hoefde ook niet. Hij was er zodra ze aan hem dacht. Elke ochtend bij het wakker worden dacht ze aan hem, de hele dag dacht ze aan hem, waar ze ook was en wat ze ook deed.

Ze horen bij elkaar. Hij is er wanneer zij het wil, zoals de zon in Het sauna- & zonnecentrum. Meer verlangt ze niet. Maar stiekem hoopt ze dat het op een dag allemaal goed komt met de prins en de prinses. Eens zullen ze elkaar vinden.

Die enkele keer dat ze hem op straat tegenkomt herkent ze hem niet, ook niet als hij haar rakelings passeert. Alsof hij daar niet hoort, of hij geen stap buiten haar hoofd mag zetten. Dan vraagt ze zich af waar ze hem van kent, ze weet dat ze hem eerder heeft gezien. Maar waar? Haar bovenlichaam helt vanzelf naar voren, trekt aan haar als een hond aan de lijn van zijn baasje. Ze doet een stap in zijn richting. Pas als hij uit het zicht is verdwenen weet ze dat hij het was.

Ze heeft zijn nummer ingetoetst op haar mobiele telefoon. Onder de 6 staat hij, één druk op de knop en daar is hij. Ze gaat geen dag de deur uit zonder telefoon, die ze als een troeteldier in haar jaszak betast. Nooit zal ze hem opbellen. Ze hoeft hem niet te spreken. Het gaat om zijn nabijheid, zijn aanwezigheid. Al is hij er niet, hij is er.

Vaak loopt ze langs zijn huis, dat zijn huis niet is. Het staat te koop. Misschien komt hij er te wonen, hij zoekt nog steeds een woning in de binnenstad. Ze heeft het voor hem uitgekozen, een grachtenpand met hoge gebrandschilderde ramen. Het staat tegenover een lagere school met twee drinkfonteintjes op het plein. Met een speeltuintje, een glijbaan en een zandbak. 'Halte Chemokar' staat er op een bordje voor de parkeerplaatsen. Daar kun je op bepaalde dagen klein chemisch afval inleveren.

Om de hoek is een supermarkt. De zwerver voor de deur maakt altijd een hoge sprong als hij haar de daklozenkrant voorhoudt.

'Ta-ta,' zegt hij triomfantelijk met de krant voor haar gezicht.

'Nee, dank je,' zegt ze dan.

'Geeft niks, mevrouw.'

Het maakt haar gelukkig langs zijn nieuwe huis te lopen, met haar mobiele telefoon in haar jaszak, luisterend naar de muziek op haar discman: *'Soft on my shoulder say it to me baby just one more time. Let's pretend that it isn't over you're still mine...'*

Dan denkt ze aan haar eerste vriendje, aan de bonte avond op de middelbare school en aan het eindexamenfeest. *'... Let's pretend we're like we used to be, let's pretend you're still in love with me...'*

Aan haar vader en dat ze achter op zijn brommer zat. Hoe hard ze lachte als ze de slip van zijn jas in haar gezicht kreeg als het waaide.

Aan haar moeder, en hoe lekker warm het was bij haar in bed...

Zacht zingt ze mee. *'... let's not talk about tomorrow forever let's pretend that we're still together...'*

Aan Onno. Als ze aan hem denkt, weet ze dat alles goed zal komen. En gaat ze weer naar huis.

Het eten smaakt goed. Jacob heeft het die middag bij een Indonesisch restaurant in de buurt gehaald. De eigenaar is familie van Wahid. Die is er nog niet zo lang geleden op bezoek geweest, even maar. De taxi bleef voor de zaak staan wachten.

Jacob drinkt korenwijn en vertelt over zijn vak.

Ze luistert en drinkt rode wijn.

Hij heeft maar twee cliënten: jongens. Een van hen komt altijd samen met zijn moeder. Hij heeft Jacob een cd van Marco Borsato cadeau gedaan, *De waarheid*, met op het hoesje een persoonlijke boodschap: 'Voor jouw van mij'.

'Jouw,' zegt Jacob. Die w erachter had hem zeer ontroerd.

'Het zou de titelsong van zijn nieuwe cd kunnen zijn,' zegt ze.

'Hoezo?'

'Voor jou van mij,' zegt ze. 'Het zou een mooie titel zijn voor de nieuwe cd van Marco Borsato.'

'Geef mij *De waarheid* maar,' zegt hij.

Jacob is geen ervaren therapeut. Hij heeft sociologie gestudeerd, maar nooit als socioloog gewerkt. Na jarenlang vrijwilliger bij de THD te zijn geweest, de Telefonische Hulpdienst, had hij zich vorig jaar op zijn zevenenveertigste met behoud van uitkering tot angsttherapeut laten omscholen. Met geld van de Sociale Dienst richtte hij zijn achterkamer tot werkkamer in. Daar staat ook de nieuwe radiator.

Hij is geen gewone angsttherapeut, maar een *repairing balance*-angsttherapeut. Zo'n therapeut zet het negatieve af tegen het positieve, zodat de boel in balans kan komen, als ze het goed onthouden heeft. Hersteld evenwicht. Als je leven is ontwricht omdat je kind gestorven is, dan mag je niet zeggen: 'Mijn zoontje is dood.' Het mag alleen als je zegt: 'Mijn zoontje is dood, maar mijn andere kinderen leven gelukkig nog.'

'Zou je kunnen zeggen dat het een vorm van positief denken is?' vraagt ze. 'Van ja-zeggen?'

'Als socioloog wist ik natuurlijk al hoe moeilijk veranderingsprocessen zijn,' zegt Jacob.

Ze knikt, neemt een hap en een slok. Dan zegt ze: 'Nu pas begrijp ik de naam van je bureau, goed bedacht, J.A.'

Hij glimlacht. 'Het gaat in fasen, zo'n veranderingsproces, vergelijk het met de verschillende maanstanden.'

'Inclusief totale verduistering?' Ze had het niet willen zeggen. Het was een grapje.

Hij zegt: 'Ga je me de hele avond spitsroeden laten lopen? Je lijkt Onno wel, die heeft er ook een handje van.'

Spitsroeden? Zij? Ze weet niet eens zo gauw wat dat betekent.

Ze valt even stil. Dan zegt ze: 'Zo bedoelde ik het niet.' En meteen daarna: 'Als ik het goed begrijp, probeert een *repairing balance*-angsttherapeut iets negatiefs te veranderen in iets positiefs? Naadloos in elkaar te laten overgaan? Is dat het?'

Hij schuift haar de slabak toe en zegt: 'Neem nog wat.'

Ze pikt er met haar vork een paar stukjes peer uit.

'Als ik bij Onno zou willen zijn,' zegt ze, 'dan mag ik dat niet zeggen. Alleen als ik zeg: "Onno is onbereikbaar, maar Jacob gelukkig niet." Zit het zo?'

Hij staat op om de borden naar de keuken te brengen.

'Je bent warm,' zegt hij.

'Je moet het zo zien,' zegt hij als hij de kamer weer in komt. 'Het leven is een lange fietstocht. Meestal rijd je op asfalt, zit de vaart er goed in, niets aan de hand. Maar soms is de weg onverhard met hobbels. Dan moet je afremmen, of zelfs even afstappen. Het gevaar van doorrijden is dat je over de kop slaat.'

Ze knikt. Het leven een fietstocht? denkt ze. Meer een achtbaan. In Amerika is er een therapie voor. De achtbaantherapie. Eén ritje in The Hulk Coaster, enger kan niet, doet wonderen. Aan de voet van die achtbaan zijn kalmeringsruimten gebouwd met comfortabele ligbanken en rustgevende planten.

'Nu jij,' zegt hij.

'Ik?'

'Wat doe jij zoal? Jij hebt, begrijp ik, meer verstand van *De Leugen?*'

'De leugen?'

'Geef je nog steeds les? Onno vertelde me eens dat analfabeten onverbeterlijke leugenaars zijn.'

'Daar worden ze voor uitgemaakt.'

'Is het niet zo dan?'

'Ik noem het overlevingskunst. Als een analfabeet gaat solliciteren, wikkelt hij een verband om zijn hand. Het is een truc, niemand zal hem vragen iets op te schrijven. En als een vrachtwagenchauffeur je de weg vraagt, houdt hij je een papiertje voor waar een adres op staat. Hij zou het blindelings kunnen vinden, als hij het kon lezen. Hij weet dat iedereen altijd eerst hardop leest wat er op het papiertje staat. Zo komt hij erachter in welke straat hij moet zijn. Kom daar maar eens op. Dat kan ik geen liegen noemen.'

Jacob staat met zijn broek op zijn enkels voor de gootsteen in de keuken.

Ze kijkt van een afstandje naar hem. Zijn uitgedijde figuur, de gewillige billen, lang geleden hard en gespannen, zijn middel met de vetkussentjes. Het maakt hem weerloos. Zijn benen zijn gespierd, alsof met het ouder worden alle kracht zich daar verzameld heeft. Of hij zich met geballde kuiten verdedigt tegen de vergankelijkheid, een laatste stuiptrekking van verzet.

Ze gaat achter hem staan, legt haar handen op zijn billen.

Hij draait zich om en drukt haar tegen zich aan.

Ze heeft het koud. Jacob ook, hij rilt.

'Ik wil met je naar bed,' zegt ze. 'Ik wil je in me voelen. Ik wil het zo graag.'

Hij zit met een kussen in zijn rug tegen de muur. Zij zit tussen zijn benen. Voordat ze zich uitkleedden heeft hij korenwijn voor hen ingeschonken. De glaasjes en de aardewerken fles staan op de grond naast het bed.

Ze pakt haar glaasje, neemt een slok en zet het weer op de grond.

'Mijn moeder gebruikte dit soort flessen als kruik,' zegt ze. 'Ze deed er een lange wollen kous omheen, zodat ik mijn voeten niet brandde.'

Hij streelt haar hoofd, haar nek. Haar rug.

Ze voelt zijn pik boven haar bilnaad.

Ze draait zich om, buigt over hem heen. Ze kust zijn navel, die als een olijf gewikkeld in een sardine op zijn buik ligt. Het zou ook het toefje slagroom op een petitfour kunnen zijn, een ring, een spiraal met een opaal. Tot de dood ons scheidt, denkt ze. Met haar tong volgt ze het streepje haar onder zijn navel. Zijn pik wijst schuin omhoog. Er komt een druppeltje uit. Snel likt ze het op, alsof ze bang is dat haar ijsje smelt. Gretig zuigt ze hem naar binnen. Hij groeit in haar mondholte. Uren zou ze ermee door willen gaan. Ze denkt aan vroeger, aan de glasblazer die op het schoolplein zwaantjes met knobbelsnavels uit zijn mond kon toveren. Het was zo mooi. Middagenlang van het begin tot het eind keek ze ernaar.

Ze rolt zich over zijn been op haar zij.

Hij komt achter haar liggen.

Ze rilt als hij met zijn pik een spoor tussen haar billen trekt. Dan kantelt ze haar bekken naar achteren, strekt haar rug en maakt zich breed.

Hij steekt een vinger in haar, behoedzaam, liefdevol, als een moeder die een thermometer bij haar zieke kind inbrengt. Na zijn vinger, zijn pik. In en uit. Eerst voorzichtig met korte stootjes, dan dringt hij diep bij haar naar binnen, volop en vrijuit. Precies zoals ze het wil.

Ze wil weer. Hij ook.

'Meende je dat?' vraagt ze. 'Van Marjorie?'

'Marjorie?'

'Net, in de kamer. Wat je zei. Dat ze op mij lijkt.'

'Ja, jullie zouden zussen kunnen zijn. Hetzelfde type.'

Ze kust zijn zachte warme buik.

Dan schuift ze naar het midden van het bed, trekt haar benen op.

'Alsjeblieft, kom,' zegt ze.

Hij gaat voor haar zitten, legt zijn handen op haar knieën en spreidt haar benen.

Hij weet wat ze wil. Ze hoeft niets te zeggen, alsof hij haar al haar hele leven kent. Er altijd is geweest. Of ze bij elkaar horen.

Hij glijdt in en uit haar.

'Ja,' zegt ze schor. Haar mondhoeken trillen.

Hij gromt.

'Ik wil je aanraken,' zegt ze.

'Ja, ja, ja,' zegt hij op het ritme van zijn snelle sto-
ten. En al die tijd houdt hij met zijn handen op haar
knieën haar benen uit elkaar.

'Laat me je aanraken.' Ze strekt haar armen naar
hem uit, maar kan niet bij hem komen. Ze is een
Playmobil-poppetje dat met onbuigzame rechte lange stijve armen op de plank in de speelgoedwinkel
staat.

'Ja, ja, ja,' hijgt hij. Hij hoort haar niet. Zijn wangen
staan strak, zijn blik is geconcentreerd.

Ze strekt haar armen weer uit, maakt ze zo lang als
ze kan.

'Ik wil je aanraken... laat me je aanraken.'

Hij gaat op zijn rug naast haar liggen. Hij legt zijn hand
op haar dij. Zijn blik leeg en voldaan, zijn lid een kin-
derknuistje.

Ze gaat rechtop zitten.

Even blijft ze onbeweeglijk zitten. Dan tast ze de
grond af, pakt de fles vast, die kruik was.

Ze staat op. Ze klemt de vingers van allebei haar
handen om de fles, loopt naar de andere kant van het
bed. Dan heft ze haar armen. En slaat, ze slaat en slaat.
Ze slaat de fles stuk op zijn hoofd, zoals Diana dat bij
Charles deed, met dit verschil dat Diana erbij lachte
en zij huilt. Hard huilt.

Als ze vroeger huilde, kwam eerst de kikkerkoning
te voorschijn en daarna de twaalfde fee van *Doornroosje*. Ze zag hen in de grillige wolken.

Ze kijkt om zich heen, ze zoekt haar kleren.

'Wat is er toch met je?' vroeg de kikkerkoning. 'Je

huilt zo dat zelfs een steen medelijden zou krijgen. Alles komt goed, vertrouw me.'

Hij dreef voorbij.

'Ik kan mijn kleren nergens vinden,' roept ze. 'Ik moet weg. Waar zijn ze? Jacob?' Ze schudt hem heen en weer en schreeuwt in zijn oor: 'Ik vraag waar mijn kleren zijn, Jacob Arends!'

Toen de kikkerkoning in de lucht was opgelost, kwam de fee. Ze zei: 'Eer er een jaar voorbij is, ben je zo mooi dat de zon elke keer weer blij is als hij je gezicht beschijnt.'

Er glinstert iets op Jacobs wangen. Ze weet niet wat het is. Het lijken plastic tranen, vastgeplakt onder zijn ogen. Bevroren tranen? Ineens ziet ze het. Het zijn contactlenzen. Hadden die losgelaten? Of had hij ze zelf uitgedaan?

Over het voeteneind hangen Jacobs kleren. Zijn broek, zijn trui, snel trekt ze die aan, ook zijn schoenen die onder de stoel voor de spiegel staan.

Ze gooit de deur achter zich dicht en rent de trap af. Alsof zijn huis in brand is gevlogen, de treden achter haar afbranden en ze elk moment door het vuur dreigt te worden ingehaald.

Het sneeuwt.

Ze holt de straat op naar de tramhalte, steekt haar hand op.

Ze gaat achterin zitten. Ze kijkt door het raampje en zoekt de lucht af. Geen steigerende paarden, geen landen, geen springend kind, geen spitse toren, geen danspaartje. Geen vader en moeder arm in arm. Geen baby aan de borst, geen fee, geen kikkerkoning. Zwarte vlakte. Een en al donkerte.

Het is koud in de tram. Nekloze mensen, door de sneeuw tot dubbele omvang opgezwollen, zitten stijf en stram op hun plaats, weggedoken in hun jassen met hun armen over elkaar geslagen tegen hun lichaam gedrukt. Baboesjka's. Alleen hun ogen en het bovenste deel van hun hoofd steken boven hun opgeslagen kraag uit.

Ze gaat ook zo zitten. Eén beweging en de kou kruipt onder haar kleren en heeft haar in zijn macht. Dan zal ze bevriezen. Ze ziet het voor zich.

Haar rug kaarsrecht. De kou heeft met zijn vingers geknipt en ze is in diepe slaap. Een slaap die zich over de mensen in de tram verbreidt en over de hele stad, zoals in *Doornroosje*.

'En ook de paarden in de stal, de honden op de binnenplaats, de duiven op het dak, de vliegen tegen de muur, sliepen in. De wind houdt op met waaien en aan de bomen beweegt geen blaadje meer.'

De tram rijdt alle haltes voorbij, rijdt onophoudelijk van het beginpunt naar het eindpunt, heen, terug, heen, terug. De tijd staat stil.

Alleen Onno kan de betovering verbreken.

Voordat ze in slaap valt, probeert ze iets te zeggen. Het is voor Onno bestemd, maar haar woorden bevriezen zodra ze uit haar mond komen. Pas als het lente wordt en gaat dooien, zal hij kunnen horen wat ze heeft gezegd.

Het lijkt wel alsof het nooit meer zal ophouden met vriezen.

Als er honderd jaar zijn verstreken breekt de dag aan dat ze ontwaakt.

Onno buigt over haar heen. Hij kan zijn eigen adem horen, zo stil is het. Hij kust haar. Zodra zijn lippen haar wang raken, opent ze haar ogen. En is alles weer goed.

Iedereen in de tram wordt weer wakker, in de stad ook.

'De paarden in de stal ontwaakten en trappelden, de jachthonden sprongen op en kwispelden met hun staart, de duiven op het dak trokken hun kopjes onder hun vleugels vandaan en vlogen weg. De vliegen tegen de muur kropen verder.'

Haar ontwaken wordt met alle pracht en praal gevierd. De feeën schenken haar wondergaven. En ze leefden nog lang en gelukkig, Onno en zij.

Blauwe kat met witte bies

Ruth mocht hem meteen. Dat heeft ze me verteld. Hoe hij heet? Net wist ik het nog, hij heeft een lange naam. Ik kom er nog wel op. Hij was de eerste psychiater die haar een sigaret aanbood. Dat had ze nog nooit meegemaakt. Ze zaten in zijn spreekkamer, die zich buiten de afdeling bevond. Een simpel sigaretje. Het werd nog mooier. Een paar uur later bezocht hij de afdeling. Het was haar tweede dag daar, ze kende nog niemand.

Hij kwam naast haar op de bank zitten.

'Hoeft niet, hoor,' zei ze.

'Als ik dat nou wil,' zei hij.

Toen is ze even gelukkig geweest.

Ik sta voor het raam de huisarts te bespieden. Hij heeft me net geprobeerd op te bellen. Hij heeft ook al een paar keer aangebeld. Dat doet hij nu weer. Ik zie hem door de kier van het gordijn voor de deur staan. Hij kan aan- en opbellen wat hij wil, ik doe niet open en neem niet op. Ik weet wat er aan de hand is en wat hij gaat zeggen. Hij gaat hetzelfde zeggen als de vorige keer en de keer daarvoor. Hetzelfde als vorige week maandag. Het gaat over Ruth, mijn oudste dochter, die drieëntwintig is. Ik wil het niet horen, niet voordat Bart, mijn man, thuis is. Ik zal straks een glaasje jenever met suiker op het bijzettafeltje naast zijn stoel zetten. Dan is hij zo thuis. Ik ken hem. Laat ik het maar meteen doen.

Ik heb voor hem ingeschonken en sta weer op de uitkijk. De huisarts zet zijn tas op de grond.

Vorige week maandag midden in de nacht schrokken we wakker van de bel. We lagen er al uren in. Na de hartaanval van Bart tien jaar geleden gaan we elke avond consequent om elf uur naar bed, geen minuut later. Het resultaat is ernaar. Hij is nog niet zo lang geleden voor controle bij de cardioloog geweest, die zei dat hij het hart van een jonge kerel heeft. Daar kan hij honderd mee worden. Bart blij, ik ook, maar ik maak me nu eenmaal altijd zorgen. Dat is mijn aard. Juich nooit te vroeg. Als zijn hart zo sterk is, vraag ik me af, waar komt die kortademigheid van de laatste tijd dan vandaan? En de spierpijn in zijn arm?

Weer de bel. Ga weg, ik zie je wel. Denk maar niet dat ik je binnenlaat, ik ben niet thuis.

Wat een huisarts. Hij blijft maar aanbellen. Nu tikt hij ook nog eens op het raam. Wat een lawaai, bonken is het. Dat heeft hij nooit eerder gedaan. Bonk, bonk, bonk, mijn hart neemt het over. Bonke, bonke, bonke slaat het. De noodklok luidt. En in mijn oren gaat het alarm af, een indringende toon die aanhoudt.

Ineens weet ik wat er is gebeurd. Dat waar we al die keren bang voor zijn geweest, maandagnacht ook. Het ergste. Ik hoor mezelf schreeuwen. Het is net alsof er een aanval met chemische wapens in mijn buik plaatsvindt. Ik krimp ineen, de pijn is ondraaglijk. Ineens is het over. Maar ik durf me niet te bewegen, bang voor nog een aanslag. Die blijft me bespaard. Weg hier.

Ik ren de trap op naar boven naar het tussenkamertje met de verwarmingsketel waar haar spullen staan opgeslagen. Opgestapelde verhuisdozen, vier rijen van drie, die met een lange reep tape zijn dichtgemaakt. Ik ga ervoor staan.

Als de telefoon gaat, schrik ik op. Hoelang ik voor de dozen heb gestaan weet ik niet, misschien wel een uur, of langer. Aan het gerinkel lijkt geen eind te komen, vast de huisarts weer.

Met één korte ruk trek ik de tape van de doos die het dichtst bij me staat, zoals ik dat vroeger deed met een pleister op haar arm of been om haar zo min mogelijk pijn te doen. Ik klap de twee helften opzij. De doos is tot de rand gevuld met truien, allemaal zonder boord. Die knipte ze eraf, geen trui liet ze heel. Ze zoomde de onderkant om en reeg er een elastiek aan een veiligheidsspeld doorheen. Waarom ze dat deed? Daar kan ik alleen maar naar raden. Een dominee op de televisie vergeleek het leven eens met een trui die je aan het breien bent. Voordat je er erg in hebt, is hij af. In het begin kun je het tempo niet bijhouden, de boord heb je zo klaar, maar het middenstuk schiet maar niet op, terwijl het op het eind ineens weer heel snel gaat. Knipte Ruth die boord af, volgens de dominee het begin van het leven, omdat ze wou dat ze nooit was geboren? Het is een theorie, vergezocht misschien. Het kan ook zijn dat ze gewoon geen knellende boorden in haar buik verdroeg. Dat denkt Bart.

Ik haal een trui naar boven en druk die aan mijn

borst. Ik huil, kort en heftig. Eén snik. Dan draai ik me om en ga naar beneden

Ik zit aan tafel in de voorkamer met een afgeknipte blauwe slobbertrui van Ruth als een dikke kat op mijn schoot. De V-hals en de kraag zijn afgezet met een witte smalle bies. Ik doe niets, helemaal niets. Ik zit op een stoel voor me uit te kijken en denk aan haar. Zo nu en dan aai ik de dikke blauwe kat, of pak hem op en verberg mijn gezicht erin. Ik snuif haar geur op. Soms fluister ik hem lieve woordjes toe. 'Dag poes, poes, poesie mauw.' Of ik zing een liedje: 'Poesje, poesje, lieve poes. Kom maar bij het vrouwtje. Die heeft lekkere appelmoes. En ook een kippenboutje.' Meer doe ik niet.

Ruth wist na de middelbare school niet wat ze wilde worden. Het liefst, zei ze, werd ze niets, want werk was een afweermechanisme, zoals een neurose die je afhoudt van je kern. Een buffer in dienst van het schijnleven. Probeer maar eens zonder werk te leven. Dat is alleen weggelegd voor de allersterksten, alleen zij kunnen gelukkig worden.

Ik herinner me dat de huisarts één keer eerder op het raam heeft getikt, toen Bart en ik in de tuin zaten en de bel niet hadden gehoord. Dat geeft me hoop. Ik haal me vaak van alles in mijn hoofd. Nu herinner ik me ook dat Bart me onlangs met de buitenboel heeft geholpen en we samen ramen hebben gelapt. Vandaar die spierpijn in zijn arm natuurlijk, zelf heb ik er de dag daarna ook vaak last van. Weer voor niets zorgen gemaakt. Waarom denk ik altijd meteen het allerergste? Ik ga mijn leven beteren en begin er nu meteen mee.

Volgende week wordt Ruth vierentwintig. Dat zal niemand mij hardop horen zeggen, maar nu ik weet dat de huisarts al eens eerder op het raam heeft getikt en het waarschijnlijk met Ruth weer goed is afgelopen, durf ik het te fluisteren: 'Vierentwintig wordt ze.' Zo, ik heb het gezegd. Het is een begin.

Voor haar zevende verjaardag vroeg ze een bevroren puntdrop. Die waren alleen in het theehuis van het zwembad te koop. In de kelder van dat theehuis kreeg ze ukeleleles. 'Spiegelbeeld, vertel eens even'. 'Zeg, kleine ree in 't groene woud'. Dat waren de eerste liedjes die ze leerde spelen. Swanie, mijn jongste dochter, zat er ook op.

'Is dat alles?' zei ik. 'Eén puntdrop? Wil je er niet nog iets bij? Denk eens goed na.'

Ze dacht diep na. En ze vroeg twee bevroren puntdroppen. Zo is ze.

Vorige week dinsdag zijn Bart en ik bij haar op bezoek geweest. Haar zo te moeten zien al die jaren. Mijn verdriet zit koud en groot in mijn buik. Ik dacht altijd dat een moeder het diepst werd getroffen als haar kind iets overkwam, maar na die autorit met Bart weet ik dat het niet zo is.

Negenendertig was ik toen ik haar kreeg, Bart was vierenveertig. We waren zo blij. Het was een makkelijke bevalling, ze floepte er zo uit. 'Ik voel me niet goed,' zei ik tegen Bart. 'Ik ga even een uurtje liggen.' En ik beviel.

Bart heeft op de terugweg niets gezegd en me niet één keer aangekeken. Recht vooruit naar het wegdek keek hij, met een asgrauw gezicht. Zo grauw was het in jaren niet. Zijn handen aan het stuur beefden.

Ik schoof naar hem toe, legde mijn hand op zijn hand en gaf er kneepjes in. Terwijl ik dat deed, keek ik naar de zwart-grijze haarslierten die op zijn kale hoofd geplakt liggen, glad en glanzend van de brillantine. En naar de haartjes in zijn nek die eindigen in een naar buiten krullend opwippend staartje. Net een skischansje.

Ik legde mijn hand in zijn nek, nam met mijn wijsvinger een aanloopje over dat skischansje en sprong, en nog een keer, en staarde naar de eindeloze witte streep op de weg, die soms ophield, maar als een lintworm weer aangroeide. En ik dacht aan Ruth. Ik vroeg me af wat ik had kunnen doen, dat vroeg ik me de hele weg af en vraag ik me nog steeds af.

In ijltempo zag ik flarden van vroeger voorbij gaan. Houten stelten met vier dwarsklampen. Daar ging ze, wankelend op dunne lange benen. En daar, op Koninginnedag, in de optocht, verkleed als bruidegom, in jacquet en met een hoge hoed op, hand in hand met Swanie, de bruid. Weg alweer. Daar, in haar zwempak, rood met gele stippeltjes, met een zwarte rubberen band om haar puilende kinderbuik.

Bart ging de bocht om.

Grote glazen knikkers met felgekleurde vlammetjes erin. Van feestballonnen gedraaide dierfiguren, blauw fonkelend schepje met houten steel, witte glimmende kaplaarzen, gekleurde doorzichtige snoeppapiertjes, negerpopje met kaal hoofd en buigzame vingers met kootjes. Blinkende spaarpot van blik, die een huisje was met een gleuf in het rode puntdak.

Bart remde voor het stoplicht.

Clown met sleuteltje in zijn rug. Meccanodoos met raampjes voor het tankstation. Legoblokjes, dubbele en enkele. (De enkele leken op een vingertop met een nagel, of een lettertoets op een typemachine.) Groene tuinslang in het gras, lichtspattend in de zon. Roestige kraan in de muur.

Vlak voor ons huis vroeg Bart: 'Huil je, Puk?'

Puk, dat zegt hij ook tegen Ruth en Swanie, tegen iedereen die hij liefheeft.

'We geven niet op, hè?' zei ik.

Hij streelde mijn bovenarm. En terwijl hij het erf op reed, zei hij: 'We geven niet op, Puk.'

'Ik ben een niemand,' zei Ruth toen ze ons die dinsdag zag. Ze zat in de televisiekamer. Het was het eerste wat ze zei.

'Lieverd, je bent geen niemand,' zei ik meteen. 'Waarom zeg je dat?' Hoe vaak niet heb ik dat tegen haar gezegd. Nooit heb ik begrepen waarom ze dat zei, juist van haar had ik het niet verwacht. Ze heeft Swanie nagepraat, zo moet het begonnen zijn. En Swanie had het ook niet van zichzelf. Ik heb altijd gedacht dat ze die zin uit een boek of film had.

Ik was erop voorbereid dat Swanie op een dag zoiets zou zeggen. We hebben haar geadopteerd. Maar het was net alsof we Ruth ook hadden geadopteerd. Bijna elke avond nadat ik haar had ingestopt, begon Ruth hartverscheurend te huilen, alsof ze Swanie was.

Ik houd van allebei mijn dochters evenveel, als een moeder van al haar kinderen evenveel kan houden. Misschien kan dat wel helemaal niet en geeft ze in bepaalde periodes meer om het ene kind dan om het andere. In het begin was ik bang dat ik geen goede moeder voor Swanie was en het vanwege de ontbrekende bloedband ook nooit zou kunnen worden. Troostte ik haar anders dan ik Ruth troostte? Omhelsde ik haar anders? Dat vroeg ik me af. En ook of Swanie het merkte. Ik dacht alleen maar aan Swanie, nooit aan Ruth.

Als ik Ruth toen meer aandacht zou hebben gegeven, was ze dan nu net zo gelukkig als Swanie? Heb ik het aan de verkeerde gegeven? Dat schijnt vaak voor te komen. Neem de ouders van Bart, jaren geleden. Ze waren oud en op, maar zijn vader was er het slechtst aan toe. Dag en nacht werd er voor hem gezorgd en over hem gewaakt. Maar zijn moeder stierf het eerst.

Swanie zat in een weeshuis in Den Haag, waar Lydia, de oudste zus van Bart, werkte. Ze nam Swanie weleens een weekendje mee naar ons, dat kon in die tijd nog. Swanie raakte aan ons gehecht, het meest aan Bart. Het waren zijn grapjes.

Ruth heeft Swanie vanaf de dag dat ze bij ons kwam nagedaan. Van de ene dag op de andere begon ze met een schrapende r te praten, te brouwen dus. Daar bleef het niet bij. Swanie was linkshandig, Ruth werd het ook. Swanie viel op een middag een gat in haar hoofd, Ruth knipte op precies dezelfde plek op haar hoofd een kale plek. Ik heb er een zwaluwstaartje op gedaan en er verder niet met haar over gepraat. Ik was ervan overtuigd dat het een kwestie van tijd was en vond dat Ruth de kans moest krijgen aan haar nieuwe zusje te wennen. Het zou zich vanzelf regelen.

'Ik ben een niemand,' zei Swanie op een dag. Ze was tien.

Ze waren naar padvinderij geweest. Ruth was een paar maanden eerder als padvindster geïnstalleerd, toegezongen door de groep. ('Ik koos als weg door 't le-e-ven, pad-vind-ind-sters-spoor.') Onderweg hadden ze ruzie gekregen en elkaar uitgescholden. Swanies scheldnaam was 'hagepoeper' en die van Ruth 'Harderwieker – Kontenkieker'.

'Lieverd, je bent geen niemand,' zei ik. 'Waarom zeg je dat?'

Swanie gaf geen antwoord.

'Waarom zeg je niets? Als je niets zegt, hoe kan ik dan weten wat er is? Dan kan ik het toch niet weten?'

'Dat snap ik ook wel.'

'Is het omdat je je achtergrond niet kent, je familie? Je vader en je moeder en je broertjes en zusjes? Is het daarom? Maar zo mag je niet denken. Je ziet er leuk uit, je haalt hoge cijfers, bent de beste van de klas. En al je vriendinnen dan. Je hebt zoveel vriendinnen.'

'Kun jij zeggen,' zei ze. 'Jij voelt niet wat ik voel.'

'Toch ben je geen niemand.'

'Jij denkt dat je alles weet.'

'Dat denk ik niet, schat, echt niet.'

'Dat weet je dan goed te verbergen.'

Een week daarna, op een avond, zei Ruth het ook.

We waren alleen thuis, zij was boven en ik zat beneden televisie te kijken. Het journaal was net afgelopen toen ze de kamer in kwam.

'Ik ben een niemand,' zei ze.

Ik ben alleen thuis, Bart is naar de soos. Eerst wilde hij niet gaan, maar ik heb gezegd dat afleiding hem goed zal doen. Als hij thuiskomt, vertelt hij altijd één mop, meer mag van mij niet. Allemaal één pot nat, die moppen. Als hij die vertelt giert hij het uit en rollen de tranen over zijn wangen. Dan moet ik wel lachen, of ik wil of niet. Ik lach om dat gieren van hem. Dan houd ik van hem, zielsveel houd ik dan van hem. Weet je wat? Ik zal nog een glaasje jenever voor hem inschenken. Meestal drinkt hij er twee.

We hadden op de heenweg bedacht een eindje met Ruth te gaan rijden en ergens iets te drinken.

Het ging niet door. De therapeut die ons binnenliet, zei dat Ruth de afdeling niet mocht verlaten. Kon hij ons even spreken?

Bart knikte.

'Natuurlijk,' zei ik.

De therapeut ging ons voor naar zijn kamer.

Bart en ik namen plaats op een driezitsbank tegenover een lange tafel. Aan de muur hing een groot prikbord, het dienstrooster.

De therapeut ging op de tafel zitten, met zijn voeten op een stoel, een kop koffie in zijn hand. Hij nam een slok en likte daarna met een lange tong de druppels op, die als stalactieten aan de rand van zijn kopje hingen.

Dat deed hij na elke slok. Ruth, zei hij, had een ibs, een inbewaringstelling. Over drie weken zou een onafhankelijk psychiater beoordelen of er een RM, een rechterlijke machtiging, aangevraagd moest worden, of een verlenging van de ibs voor nog eens drie weken.

'Wat is het verschil?' vroeg Bart.

'Het verschil zit hem onder meer in de tijd,' zei de therapeut. 'Een RM duurt in principe een halfjaar. Daarbij komt dat bij een RM uw dochter naar een andere afdeling overgeplaatst zal worden.'

'Wat staat haar allemaal nog meer te wachten?' vroeg ik.

De therapeut schudde zijn hoofd en zei: 'Makkelijk is het in geen geval, dat zult u mij niet horen zeggen. Maar soms moet iemand om vooruit te komen een stapje achteruit doen.'

'Zou u dat ook zeggen als het om uw eigen kind ging?' vroeg ik fel.

'Toe meisje,' zei Bart. 'Doe nou niet.' Hij knikte vriendelijk naar de therapeut en glimlachte onnozel. Zo is Bart, hij doet het al zolang als ik hem ken. Zijn collega's, hij was leraar aardrijkskunde, noemden hem André van Duin.

'Dat is toch zo,' zei ik. 'Hij heeft makkelijk praten, maar het is ons kind.'

'Het overvalt mijn vrouw nogal. Mij ook, moet ik u zeggen, we horen alles voor het eerst.'

'Dat kan ik me voorstellen,' zei de therapeut. 'Ik neem u ook helemaal niets kwalijk. Ik heb er alle begrip voor.'

'De huisarts kon ons niet veel vertellen,' zei Bart.

De huisarts had ons die maandagnacht verteld dat Ruth een paar uur eerder naar het ziekenhuis was gebracht. Ze had medicijnen geslikt. Hij was opgebeld door de therapeut die in de wacht zat met het verzoek ons persoonlijk in te lichten, zoals de vorige keer.

Toen de bel ging wisten we meteen dat hij het was en waarom hij kwam. Elke keer als ik halsoverkop achter Bart de trap af loop, af fladder kan ik beter zeggen, in mijn dunne opwaaiende kimono waarvan ik met trillende handen de ceintuur dichtknoop, zeg ik: 'Lieve Heer, laat haar alstublieft niet dood zijn.'

Dan staat Bart stil, kijkt over zijn schouder en zegt: 'Lieverd, ze heeft het overleefd. Hoor je, ze leeft, ik weet het zeker.' Dan loopt hij verder. Hij zegt het altijd. En altijd heeft hij gelijk. Daarom wil ik dat hij thuiskomt. Dan kan ik de huisarts binnenlaten. De telefoon opnemen.

Waar blijft hij, hij had al thuis moeten zijn. Zijn tweede glaasje staat klaar. Het slaat nergens op, maar je weet maar nooit.

Ik heb alle fotoalbums te voorschijn gehaald, niet om foto's te kijken, maar om de vierkante lapjes textiel te betasten die erin liggen. Bart heeft ze verzameld. Het is zijn hobby, daar is hij twintig jaar geleden mee begonnen. Het zijn stukjes van de kleren van Ruth en Swanie van vroeger. Niet van al hun kleren, de selectie is nauwkeurig en zorgvuldig geweest. Bij elk lapje zie ik meteen het kledingstuk voor me. Hoe het ze stond, hoe hun haar toen zat, wat ze deden en hoe ze waren. Ik zoek het lapje van haar T-shirt, dat moet ergens tussen de bladzijden liggen.

Het was veel werk. Het heeft Bart veel avonden gekost, ook omdat hij in elk lapje kartelranden heeft geknipt, niet met een kartelschaar, maar met een gewone schaar. Binnenkort zal hij ze inplakken. Dat heeft hij beloofd. Zeeën van tijd.

Hier heb ik het. Het is van haar witte T-shirt. Ik kreeg het niet meer schoon: koffiemelk, volvette. Twintig was ze, het was Koninginnedag. We hadden lekkerbekjes gehaald, zoals op elke Koninginnedag, en zaten met z'n vieren aan tafel.

'Ja,' zei Ruth. En meteen daarna: 'Nee.' Ze hield haar hoofd scheef, alsof ze luisterde. Maar naar wie? We aten zonder te praten.

'Ja,' zei ze weer. 'Nee.' Ze bedekte haar oren met haar handen.

Ineens stond ze op, trok haar T-shirt uit en meteen weer aan. Weer uit en weer aan.

'Het komt door mijn T-shirt,' zei ze.

We wisten niet wat me moesten zeggen. Zo kenden we haar niet.

'Wat komt door je T-shirt, lieverd?' vroeg ik.

Ze liep naar de keuken.

Bart achter haar aan.

Op het aanrecht stond een grote fles koffiemelk, die ik net open had gemaakt. Ruth pakte hem op, wipte met haar duim de kroonkurk eraf en goot hem boven haar hoofd leeg. En ging daarna weer aan tafel zitten, alsof er niets was gebeurd.

Op die dag gingen mijn ogen open en wist ik dat haar iets ernstigs mankeerde dat niet vanzelf over zou gaan.

Sinds die dag heb ik nooit meer een fles koffiemelk gekocht, alleen nog maar tinnetjes. Bart snapt dat niet. Dat hoeft ook niet.

De huisarts bonkt weer op het raam, zo hard dat ik me niet durf te verroeren.

'Stil maar, poes,' zeg ik. Ik pak hem op, verberg mijn gezicht in de zachte pels en houd mijn adem in, totdat het lawaai stopt. Dan stijgt er ineens een ontiegelijke woede in me op en moet ik de kat tegen mijn mond duwen om mijn geschreeuw te dempen. 'Donder op, man, opsodemieteren, ik laat je pas binnen als Bart thuis is. Hij komt zo, hij kan ieder moment hier zijn. Hij weet zeker dat ze leeft. Ga weg. Ik ben er niet, ik ben ook naar de soos.'

Langzaam schuif ik mijn stoel een eindje naar achteren. Ik sta op. Ik sluip naar de deur. Ik doe de lamp uit. Op de tast loop ik naar de tafel en ga weer zitten.

Zou de huisarts soms naar de soos zijn gegaan en Bart daar hebben opgevangen? Hem het verteld hebben? Is Bart daarom zo laat? Is hij meteen naar De Brug gereden? Is het daar gebeurd?

Weer de telefoon.

Ik druk de kat weer tegen mijn mond. 'Ze leeft. Vraag maar aan mijn man. Hij weet het zeker, vraag het hem dan. Ze leeft.'

'Slaaptabletten, vijftig,' zei de therapeut.

Het was Rohypnol. Die had ze maandagavond boven op de slaapzaal ingenomen met een kruik Tia Maria. Daarna had ze alle kranen opengedraaid, twaalf kranen bij zes wasbakken. De zaal stond blank toen ze haar vonden. Het werd ontdekt door een jongen op de slaapzaal beneden, die een dreun hoorde. Ze was uitgegleden en met haar hoofd tegen de rand van een van de wasbakken gevallen.

Ruth kon zich er allemaal niets van herinneren. Ze had alleen gehoord wat de psychiater in de zaalvergadering had gezegd. Dat zou ze nooit vergeten. Ze was toen net een paar uur terug uit het ziekenhuis.

Iedereen was erbij toen hij het zei.

De psychiater keurde haar zelfmoordpoging af. Het schijnt een feit te zijn dat groepsleden na een zelfmoord kopieergedrag vertonen. Dat wist ik niet. Van een zelfmoord komt een zelfmoord zal ik maar zeggen. Ze steken elkaar aan. Al geef je ze 'hand in hand'-begeleiding, plaats je ze 'onder mede', 'onder socio', of separeer je ze. Al vervang je de metalen trekketting in de wc door een plastic buis en stel je de temperatuur van de hete kraan in de douche af. Er is geen kruid tegen gewassen, heb ik me laten vertellen. Een veter, een scherf is genoeg. Een vrouw lukte het met een pincet die ze de isoleercel binnen had gesmokkeld door hem als een tampon in te doen.

In die zaalvergadering zei de psychiater: 'Ik heb Ruth alle kansen gegeven, maar ze heeft er niet één benut.'

Het zal je maar gezegd worden. Als ik zeg dat ze hem aanbad, overdrijf ik niet. Ruth is niet zo goed in het benutten van kansen. Alsof ze niet alles geprobeerd heeft, alles heeft ze geprobeerd. Neem dat maar van mij aan. Mislukter dan mislukt zou ik me na zo'n opmerking hebben gevoeld. Pieter Jan Kijk in de Vegte heet hij, nu weet ik het weer.

Ruth was opgestaan en naar de andere kant van de zaal gelopen. In de hoek zat een vreemde vrouw, onbeweeglijk op haar stoel. Ze had een hoedje met een veer op.

'Wie is dat?' vroeg Ruth.

Geen antwoord.

Ze ging voor de vrouw staan en vroeg: 'Wie ben je?'

Hilariteit alom. Het bleek een pop van stro te zijn, een Sarah voor een therapeute die vijftig was geworden.

Ruth hoefde niet te lachen. Ze wilde dood.

'Niet schrikken, als u haar ziet,' zei de therapeut. 'Ze heeft een bult op haar voorhoofd. Het is een akelig gezicht.'

'Een bult?' vroeg Bart. 'Hoe dat zo?'

De therapeut knikte. 'Zoals ik zoëven zei, ze heeft in haar val met haar hoofd de wasbak geraakt.' Hij zette zijn koffiekopje op tafel. 'Het ziet er naar uit, maar het lijkt erger dan het is.' Even was hij stil. Daarna zei hij: 'In overleg met de psychiater is besloten haar voor de nacht te separeren.' Hij wendde zijn hoofd af. 'Met ingang van vanavond zullen twee therapeuten haar om tien uur naar de separeer begeleiden.'

'De separeer?' vroeg Bart.

'De vroegere isoleercel,' zei de therapeut.

'Je weet wel,' zei ik.

We hadden haar een keer in de isoleercel bezocht. Het gangetje ernaar toe was zo nauw dat we er nauwelijks doorheen konden. We moesten ons bijna naar binnen persen, alsof het een omgekeerde geboorte was.

Sommigen voelen zich veilig en beschermd in de iso-leercel: geen enkele verantwoording, vegeteren, lekker warm. Als een baby in de baarmoeder. Ruth niet.

Telefoon.

De therapeut draaide zich om, nam met een lange arm op en zei: 'Ik wil niet gestoord worden.'

'Wie wel?' fluisterde ik in Bart zijn oor.

De therapeut hing op en keerde zich weer naar ons toe. 'Neem me niet kwalijk. Waar was ik gebleven?'

'In de isoleercel,' zei ik.

Hij glimlachte.

'Juist,' zei hij.

Hij stond op.

'Ik zal u naar haar toe brengen, ze zit in de televisiekamer.'

We liepen achter hem aan de gang in.

Voor de deur van de televisiekamer zei hij nog dat Ruth extreem uitgelaten en vrolijk was. Ze was het natuurlijk niet echt, maar die indruk maakte ze. Het kwam door de resten van de medicijnen. Eufoor heet dat.

Ze was, vertelde de therapeut, op een brancard met de ambulance naar het ziekenhuis gebracht, nagestaard door groepsleden, die verbijsterd waren. Want Ruth lachte en knikte terwijl ze door de gang naar buiten werd gereden. Niemand die dat begreep.

Ik wel. Ik ken mijn kind. Ze lachte en knikte omdat ze dacht dat ze naar huis werd gebracht. Dat ze bij ons in bed mocht en dat alles dan weer goed kwam, zoals vroeger als ze niet kon slapen en een halfuurtje tussen ons in lag. Dan fluisterde Bart een raadseltje in haar oor. Hij had er altijd een paraat, bewonderenswaardig vond ik dat.

Ik veeg met de mouw van haar trui de tranen van mijn wangen. En zacht zing ik het liedje dat ik na dat raadseltje altijd in haar oor zong. Terwijl ik dat deed, lachte ze om het gekriebel.

In de blauwe lucht, in de blauwe lucht,
hoorde ik een diepe zucht.
Het was de wind, die bries, die een liedje blies,
voor alle kindertjes beneden.
Ga maar slapen, niet meer gapen.
Dan is mama heel tevreden.

Zodra ze sliep, droeg Bart haar naar haar eigen bed. Vaak werd ze even wakker en keek naar hem op. 'Ga maar lekker slapen,' zei hij dan. 'Morgen is alles anders.' En dan knikte ze en lachte ze.

Weer de telefoon. Nu ben ik het echt zat.

Ik sta op en loop in het pikkedonker naar de telefoon. Trek de stekker uit de muur. Ziezo, ook weer gebeurd. Dat had ik al veel eerder moeten doen. Ik strompel terug naar mijn stoel. Ik zit nog niet of er wordt weer op het raam gebonkt. Met een vloek sta ik op. Ik loop naar de deur, doe de lamp weer aan.

Ik schuif mijn stoel naar het raam. Op de zitting ligt haar trui, die pak ik op. Ik zet hem op als een hoed, schik hem, uiterst behoedzaam, alsof hij ontworpen is

door een couturier van naam. Ik kan zo naar de troon-
rede.

Ik trek de gordijnen open. Dan ga ik op de stoel
staan, met mijn armen wijd. De mouwen van haar trui
hangen als lange vlechten op mijn schouders, zoals bij
een chassidische jood. Zo blijf ik staan, heel lang. 'Bart,
Bart,' roep ik. 'Waar blijf je nou.' Ik roep het totdat ik
niet meer kan en van de stoel op de grond spring. Ik
zak door mijn benen en val op mijn knieën.

Ruth zat in de televisiekamer met haar jas aan. Die
weigerde ze uit te doen. Als kind weigerde ze dat al.
Uren bleef ze met haar jas aan op een krukje voor het
raam zitten als het regende. Als ze hem uitdeed, zou
het alleen maar harder gaan regenen en kon ze de hele dag niet buiten spelen. Als het eindelijk opklaarde
riep ze blij: 'Kijk mama, het regent niet meer. Zie je
wel dat ik kan toveren? Het komt door mijn jas.' En
weg was ze.

Het was meteen raak. Zodra we zaten vroeg ze Bart
naar de mop van de soos.

'Laat papa maar, hij voelt zich vandaag niet zo goed,'
zei ik.

'Nee, meisje nu niet,' zei hij. 'De volgende keer. Af-
gesproken?'

Ze stond op en kwam naar ons toe.

'Volgende keer, volgende keer,' riep ze. 'Wat heb ik
daaraan. Daar heb ik niets aan.'

Ik hoor het sindsdien elke dag in mijn hoofd: 'Volgende keer, volgende keer. Wat heb ik daaraan. Daar
heb ik niets aan.'

Bart deed het voor haar. Ik heb hem nog nooit zo bedroefd een mop horen vertellen. Terwijl hij dat deed, vulden zijn ogen zich met tranen die niet over zijn wangen wilden rollen.

Een Engelsman en een paardenfokker zitten in de trein. Vraagt de Engelsman aan de paardenfokker wat hij doet voor de kost. 'I fuk horses,' zegt de paardenfokker in steenkolenengels. De Engelsman kijkt verschrikt op en vraagt in uiterst beleefd Engels: 'Pardon?' Zegt de paardenfokker verrukt: 'Yes, good, paarden.'

Meteen daarna werd er op de deur geklopt en kwam een jongen binnen. Hij had een bruin-groen gevlekt camouflagepak aan, grote zwarte motorlaarzen aan zijn voeten, die aan de neus met een stukje metaal waren beslagen.

Hij stapte op Ruth af en vroeg: 'Neuken?'

Bart en ik deden net alsof we niets hoorden en keken de andere kant op. Mijn kind hoort hier niet, dacht ik. Ik heb het altijd gezegd, ze hoort hier niet.

'Neuken?' vroeg hij weer.

Ruth zei: 'Neuken? Neuken? Als je zo nodig moet neuken, neem je maar een lat. Die veert tenminste nog mee.'

'Rustig maar, ik ben al weg.'

Hij keerde zich om en liep naar de deur. Voordat hij die opende, trok hij zijn laarzen uit.

'Je lokt het zelf uit,' zei hij nog. En ging. Zijn laarzen liet hij staan, leeg zakten ze ineen. De opengeritste schachten vielen opzij als vleugels. Een stervende zwarte zwaan.

Als ik net weer aan tafel zit, hoor ik een auto. Bart?

Ik sta op en ga met de kat in mijn armen naar buiten.

Het is de zoon van de buurvrouw, die wegrijdt. Ze zwaait hem in de deuropening uit. Als hij om de bocht is verdwenen, begint ze met me te praten. Ze vraagt naar Bart. Laat ze zich met haar eigen man bemoeien. Die heeft wangen die als twee lappen naast zijn mond hangen, zoals bij een spaniël. Als hij zijn hoofd schudt, vliegt het slijm om je oren.

'Is uw man nog niet thuis?' vraagt ze. 'Ik zie zijn auto nergens.'

De toon van haar stem maakt me ongerust, misselijk van de zorgen. Ik ril en druk de blauwe kat tegen mijn buik.

Over haar eigen man hoor je haar niet. Hij heeft een oog dat niet deugt, net alsof het altijd naar je kijkt. Alles ziet. Het oog van sinterklaas op de televisie. Ik moet me inhouden om haar niet uit te schelden. Moet ik van je man soms in de zak? Mee naar Spanje? Bart ook?

'Is hij naar de soos?'

'De soos?' zeg ik. Mijn stem klinkt schor. Ik hoest.

'Uw man, is hij naar de soos?'

Ik hoest weer en zeg: 'Ja, hij komt zo thuis. Zijn borrel staat klaar. Als hij die ruikt, dan...'

'Ik dacht dat ik meneer Van Zetten vanavond zag? Die vriend van hem, die is toch ook van de soos?'

'Joop van Zetten?' prevel ik. En ik denk: wat doet Joop hier? Was hij alleen? Waar was Bart dan?

'Ja die, hij zat bij de dokter in de auto. Hebben ze niet bij u aangebeld?'

'Niemand heeft bij me aangebeld,' zeg ik.

'Het was even na achten, geloof ik.'

'Niemand heeft bij me aangebeld,' zeg ik weer. Harder deze keer. Dove kwartel.

'Weet u het zeker?'

Ik sla de trui van Ruth om mijn schouders, leg een knoop in de mouwen in mijn nek. En ik roep: 'Poes, poes, kom dan. Waar ben je? Kom bij vrouwtje dan.'

'Heeft u een poes? Dat wist ik niet, dat u een poes had. Nog niet zo lang zeker?'

'Poes, poes,' roep ik.

'Hoe heet ze?'

'Poes.' Ik schreeuw het.

'Ik hoor u wel,' zegt ze bedeesd.

'De telefoon gaat,' zeg ik. 'Ik moet naar binnen.'

'Telefoon? Ik hoor niets.'

Ik heb alle foto's van Bart uit de albums getrokken, uit de witte driehoekjes, en ze om me heen op de tafel gelegd en op de grond, voor me, achter me, naast me. Hij is overal. En overal liggen lapjes. Roze, rode, gele, blauwe, paarse, alle kleuren.

Kijk, hier bij mijn hand, achter dat oranje lapje, van een rokje van Swanie, hij en ik samen voor zijn eerste auto. De groene NSU.

Kijk daar, die foto links achter me op de grond, naast dat blauwe lapje, van de eerste spijkerbroek van Ruth, Bart en ik komen uit de simulator op Schiphol. Wankelend, armen wijd.

Zie, naast mijn linkerhand, Bart met een schort om in de keuken, een week met pensioen. Brood bakkend, grote ovenwanten aan. Overal deeg, alles wit.

Bij mijn rechterhand, Bart en ik samen in het fotohokje op het station. Onherkenbare donkere hoofden, vaag en misvormd. Wat hebben we een plezier gehad!

Achter me op de grond, Bart en ik in bed met Ruth tussen ons in, net geboren. En daarnaast voor de stoelpoot, wij, op onze trouwdag, bestrooid met confetti. Daar voor de bank. Bart weer, met Swanie op zijn arm, lachend, met haar zwarte tanden waar de wolf in zat.

Er wordt op het raam gebonkt.

Kijk, daar op de rand van de tafel. Bart op de afscheidsreceptie van zijn werk, met een gouden vulpen in zijn hand. En daar, ook op de rand, op dezelfde dag. Bart op de met slingers versierde stoel. Met een feesthoedje op.

Hij heeft me zo gelukkig gemaakt.

Er wordt weer op het raam gebonkt. Ik weet waarom hij komt. Ik weet wat er aan de hand is. Het gaat om Bart. Hij is dood. Zijn hart.

Ach, bij de deur, Bart in zijn zwembroek... die foto met die kartelrandjes...

Vleugels van gaas (1)

Er gaat geen zondagnacht voorbij of ik lig wakker, nu ook. Het heeft met mijn werk te maken, met de maandag. Alleen daarmee, niet met het werk op zich, dat doe ik met plezier, al wordt het de laatste tijd vergald door Mietje Zeeboer, de secretaresse van de burgemeester. Niet aan denken nu. Als de maandag maar eenmaal voorbij is, is er niets meer aan de hand.

Toen ik in de A-verpleging zat had ik er al last van, vijfentwintig was ik. Elke zondag lag ik tot diep in de nacht wakker. Nu, elf jaar later, ben ik documentair informatieverzorger bij de gemeente en kan op zondag nog steeds niet slapen.

Ik heb zes collega's en we werken op Facilitaire Zaken, vroeger Post- en Archiefzaken genoemd. We coderen en archiveren brieven van burgers, die door de ambtenaren afgehandeld zijn. Ik heet Joek Nortier, maar mijn collega's noemen me Joek Portier, omdat mijn bureau bij de deur staat. We hebben allemaal een bijnaam. Zou mijn bureau aan de andere kant van de afdeling naast de plank met documentatie en woordenboeken hebben gestaan, dan was het vast Boek Nortier geworden.

De bijnaam van Karel van Velzen is 'Onze Vader'. Zijn bureau staat naast de paternosterkast, de archiefkast met het liftsysteem, met de hangende dossiermappen en draaiende laden. Alleen Mietje Zeeboer heeft geen bijnaam, dat is niet nodig als je zo heet.

Mietje is op de Veluwe geboren, daar komt haar naam veel voor. Ik kom er zelf ook vandaan en heb nog bij een Mietje in de klas gezeten. Haar zusje heette Ebje. Ebje en Mietje Greidanus, niemand keek ervan op, nooit iemand om horen lachen.

Als ik niet kan slapen tel ik codes. Sommige kan ik maar niet onthouden, ik probeer het nog een keer. '-1.714 code belastingen, -1.731 code ruimtelijke ordening, -1.777 milieu, -1.811 verkeer en vervoer, -1.844.3 inbewaringstelling geesteszieken, -1.852 educatie en cultuur, -1.854 natuurschoon, -1.855... die weet ik niet meer, -1.857 is code sport en recreatie, maar -1.855?'

Of ik doe mijn ogen dicht en denk aan het uitzicht dat ik op mijn werk heb. Aan het grasveld en de bomen, het water met de parende kwakende kikkers en het spoorlijntje van de stoomtrein voor de toeristen. De laatste tijd slaap ik ook wel in op Mietje Zeeboer. Net fantaseerde ik dat ik haar op 'vernietiging' heb gezet en in de doos met mappen en dossiers met vernietigingsjaar 2008 heb gestopt. Vorige week werkte het meteen, nog nooit ben ik zo snel in slaap gevallen als die avond.

Het komt ook voor dat ik me juist, zoals nu, alleen maar lig op te winden als ik aan Mietje denk. De burgemeester mag dan over haar te spreken zijn, ik niet. Dat ze vaak vrij neemt, moet ze zelf weten, maar verwacht van mij niet dat ik elke middag de telefoon opneem. Dat is haar taak en dat heb ik haar gezegd ook.

Bovendien weet ik niet wie er wel of niet doorverbonden mag worden met de burgemeester. Dat ik Raymond, de bode, wel help met het frankeren van zijn brieven terwijl ik voor Mietje niet wil invallen, heeft niets met gebrek aan collegialiteit te maken. Als je het per se weten wilt, Mietje, het frankeren is toevallig veel minder werk. Envelopjes wegen, in het apparaatje doen en klaar, stempel en wapen erop, alles wordt gedaan. Wie is hier niet collegiaal? Ik? Wees blij dat ik de chef er niet bij heb gehaald. Raymond wordt trouwens niet kwaad als ik iets fout doe. Moet je de burgemeester horen als ik een burger heb doorverbonden die niet doorverbonden had mogen worden. Weet ik veel, daar ben ik niet voor opgeleid.

En zo maalt en maalt het maar door in mijn hoofd, alsof ik met een anesthesist ben getrouwd. Iedereen krijgt hij in diepe slaap, maar zijn vrouw is niet plat te spuiten. Zul je altijd zien.

Ik heb iets bedacht. Ik verander het vernietigingsjaar op de doos van Mietje in 2004. Dat zou mooi zijn, dan ben ik volgend jaar van haar af. Beter nog, ik maak er 19 mei 2003 van. Dat is het morgen. Ze wordt binnenkort in een grote kar gestopt en zal opgehaald worden om verpulverd te worden. Ze gaat eraan. Dat wordt snurken.

Mijn zus Sofie is met een internist getrouwd. Ze is altijd ziek en zij niet alleen, haar vier kinderen zijn ook altijd ziek. Dat verwacht je niet van een doktersgezin, dat hoort te blaken en te blozen van gezondheid.

De vader van Caro Wildschut, mijn vriendin op de

middelbare school, was psychiater. Stabiliteit gegarandeerd, zou je denken, maar niet voor Caro. Als we een repetitieweek hadden, sliep ze elke nacht in de hondenmand. En ze wankelde en zwikte op haar hoge hakken van het ene lokaal naar het andere, geen reclame voor haar vader.

Mijn moeder komt uit een domineesgeslacht, grootvader, vader, twee broers, maar kon in de kerk niet wakker blijven. De gemeente hield haar de hand boven het hoofd: ze sliep niet, ze bad. Maar toen ze op een ochtend onder het bidden diepe keelklanken uitstootte was het gedaan met de solidariteit.

Willem Brinkman, ook zo iemand. Hij was politieagent, altijd in uniform, ook op zijn vrije dag en in de vakantie. Hij ging in uniform naar het strand.

Op een zomerse avond nam hij de twee tennisrackets van Sofie in beslag, die ze voor haar verjaardag had gekregen. Het hoofdcadeau.

'Verboden het gras te betreden,' stond er op het toegangsbord. Rode glimmende letters, dik als opgezette aders. Toen we het park in liepen zag ik de letters op en neer gaan, kloppende aders. Sofie zag het ook.

'Hoe kan dat?' vroeg ze.

'Het is een teken,' zei ik.

'Hoe?'

'Een waarschuwing.'

Sofie viel stil, even, en zei toen: 'Het was een nachtuil. Die kwam op het licht af en wierp een schaduw over de letters. Daardoor leek het net alsof ze bewogen.'

Ik draaide me om. 'Laten we naar huis gaan.'

Dat wilde Sofie niet.

Een halfuur later, toen ik met 2-0 voorstond, werden we door Willem Brinkman betrapt.

Hij zette zijn fiets op de standaard en nam een sprongetje over de heg die het park omzoomde. Langzaam, op zijn hoede, liep hij naar ons toe, met zijn duimen in de lussen van zijn broek en zijn handen op zijn heupen, holsterhoogte, klaar om de revolvers te trekken.

Of we niet konden lezen, vroeg hij.

Hij wees naar de rackets en zei: 'Die zal ik in beslag moeten nemen.'

Sofie klemde de vingers van allebei haar handen om het handvat van haar racket.

Hij ging voor haar staan en trok hem uit haar hand.

'Maar ik ben jarig,' zei Sofie huilend.

'Als mijn vader het hoort,' zei ik.

Hij was onverbiddelijk. Zijn vrouw was kleptomaan, dat maakte veel goed. Het dorp gniffelde.

Hoewel ik op Mietje beter inslaap, lukt het me een enkele keer ook wel op Michiel. Als ik zijn bungelende benen voor me zie, en maar lang genoeg kijk, lijkt het net alsof ik gehypnotiseerd word.

Michiel, Appeltje, en ik zitten tegenover elkaar aan hetzelfde bureau. Vanwege zijn korte benen kan hij niet bij de grond, ook niet als hij op het puntje van zijn stoel zit. Soms word ik draaierig van die bungelende benen waar ik onafgebroken naar kijk, ook als ik het per se niet wil. Juist dan.

Elke dag een halfuur voor het uitklokken pakt Michiel zijn koffertje in. Daarna raakt hij alles aan wat op zijn bureau staat, niet met één vinger, of met zijn ene hand, maar met allebei zijn handen. De computer, de telefoon, de typemachine (voor titelstrookjes en tabs), het brievenbakje, hij pakt alles vast en knijpt er even in, alsof hij denkt dat hij droomt. Dan schilt hij een appel, elke dag weer. De kunst is om de appel in één keer te schillen, één lange slinger.

Als ik aan Michiel denk, denk ik aan vroeger. Aan toen ik klein was en groot wilde worden en trouwen. Aan de appelschil die ik na het eten over mijn schouder wierp, die de eerste letter van de naam van mijn toekomstige man voorspelde.

Ik doe alsof ik een schil over mijn voeteneind gooi en een letter slinger. Een S? Ligt er een S? Dan zal hij Simon heten, of Sjoerd, Sjaak, Sybrand, Steven, Sjors. Nog een keer. Een R. Ronald, Rein, Richard, Rien, Raymond. Raymond? De bode? Gaan we trouwen? Ik wil wel. Als ik maar niet hoef te frankeren. Dat doet hij maar op zijn werk. Daar wil ik hem er wel mee helpen, thuis niet.

Bettina is achtendertig jaar. Zij woont aan de ene kant van de galerij, aan het begin, ik woon aan het eind.

Twee jaar geleden maakten we kennis.

Ze zat op haar knieën op de galerij, gebogen over drie kleine planten. Edelweiss.

'Ik zal me even voorstellen,' zei ik.

Terwijl ze opstond, trok ze snel haar werkhandschoen uit.

Ik gaf haar een hand en zei: 'Joek Nortier, ik ben de nieuwe bewoonster.'

'Bettina Molenaar,' zei ze. Haar handdruk was stevig.

'Bettina?'

Ze knikte.

'Mijn man en ik wonen boven de slagerij,' zei ze.

Wat zei ze? Woont ze met haar man boven de slagerij? Was hij slager? Zei ze dat? Ik vroeg me af of ze vlees at. De vrouw van de politie die kleptomaan is, een slagersvrouw die geen vlees eet, het zou me niets verbazen.

'Sorry, wat zei je?' vroeg ik.

'Magda en ik wonen voor op de galerij,' zei ze.

Galerij dus, niet slagerij. 'Dus niet boven de slagerij?'

'Slagerij? Wij? Al was het gratis, dan nog zouden we niet boven een slagerij willen wonen.'

'Vegetarisch?'

'Hoe raad je het.'

Ik gaap. Ik denk aan Bettina, zie haar voor me.

Ze zit op haar knieën, gebogen over een plant. Oregano. Ze gaat van plant naar plant. Dat doet ze door zich met haar handen op te drukken en behendig naar de volgende pot te hippen alsof ze een invalide zonder benen is, die uit zijn rolstoel omhoogkomt en in één beweging achter het stuur van zijn auto gaat zitten. Voordat hij de sprong waagt, hangt hij in de rolstoel even tussen zijn eigen armen.

De groene plastic fles, altijd binnen handbereik, staat naast haar. Ik zie hem staan, een soort plantenspuit. 'Tegen meeldauw', staat er op het gele etiket.

Sommige planten zijn bedekt met een wit overtreksel. Gesluierde bladeren.

Bettina heeft ook meeldauw, een grijzig laagje overtrekt haar zwarte haar. Ze heeft dik haar dat alle kanten op groeit, daarom houdt ze het kort.

Achter haar een rol gaas.

Voorzichtig tilt ze een van de bladen van een grote plant op, bekijkt de onderkant en zegt hoofdschuddend: 'Meeldauw, ja hoor. Als ik het niet dacht.'

Ze bespuit de plant met de groene plantenspuit, schuift dan de pot ernaast naar zich toe, een plant die nog moet uitkomen. Akelei gaat het worden. Met een tangetje knipt ze een stuk gaas van de rol, spant het over de pot, vanwege de poes, en maakt het aan de achterkant vast aan de tralies van de balustrade.

Dan zie ik haar met een grijze ijzeren gieter lopen. Ze geeft niet alleen haar eigen planten water, maar ook die van de andere bewoners. Die zijn ook van haar, stuk voor stuk door haar gezaaid.

Op een dag aan het eind van de middag sprak ik haar in het voorbijlopen aan.

'Naar de kapper geweest?' vroeg ik.

Ze hoorde het niet.

Ze zat op haar knieën voor een plant, zwarte korte broek aan met een rood hemd erboven. Haar haren waren gemillimeterd, geen meeldauw meer te bekennen.

'Naar de kapper geweest?' vroeg ik nog een keer. Ze had, zag ik ineens, een extra kruin op haar achterhoofd, waar geen haar omheen groeide. Een kale plek.

Ze hoorde het weer niet.

Andere vraag, harder: 'Hebben jullie al een woning gevonden?' Bettina en haar vriendin willen naar Arnhem verhuizen. Mijn zus Sofie woont in Arnhem, ik had Bettina beloofd haar in te schakelen.

Bettina keek op en zei: 'Nee, dat niet, we kunnen niks vinden, maar ik heb wel ander nieuws. Magda en ik gaan trouwen, we doen het gewoon, tegen de verdrukking in. Nu is het de beste tijd.' Haar ogen straalden.

Tegen de verdrukking in? dacht ik. Hoezo tegen de verdrukking in?

Toen ze naar een andere plant hipte, zag ik het spleetje tussen haar borsten en het wit kanten randje van haar beha. Ook zag ik een gaasje. Het zat boven haar rechterborst, naast het begin van het spleetje. Ik wendde mijn blik af.

'Trouwen?' zei ik. 'Leuk. Goed idee, gefeliciteerd. Met een ring? Dat wil ik ook wel. Weten jullie niemand voor mij? Kan me niet schelen wie. Voor wat hoort wat.'

'Pardon?' zei ze.

'Ik help jullie met het zoeken naar een woning, dan verwacht ik dat jullie voor mij ook op zoek gaan.'

Ze lachte, ze moet altijd om me lachen. Ik maak haar graag aan het lachen. Die middag deed ik er nog een schepje bovenop.

Ik leunde over de balustrade en keek naar de met bamboestruiken omringde binnentuin, een vierkante grindvlakte met paden en zes rijen van zes iele kale appelboompjes. Rechts de ingang. Stammen als stokken, nog dunner dan de ijzeren palen waarlangs ze groeien. Zes keer zes grijze hoge palen, die aan de bovenkant allemaal in een kruis eindigen. Tussen de buitenste rijen palen zijn staaldraden gespannen om de bladeren te leiden. Het zouden waslijnen kunnen zijn. In het midden is een uitsparing gemaakt, daaromheen vier keer vier iele appelboompjes, ook weer met een ingang.

'Wat dat toch moet voorstellen,' zei ik.

'Weet je dat niet?' vroeg Bettina terwijl ze een zak potgrond naar zich toe schoof. 'Dat is een meditatiecentrum.'

'Meditatiecentrum?'

'Een open meditatiecentrum, een gemeenschappelijke ruimte voor alle bewoners, een soort stiltegebied.'

'Ik dacht dat het een doolhof was. En die stokken dan?'

'Dat worden bomen.' Ze keek lachend over haar schouder en zei: 'Ja, er is goed over nagedacht.'

'Nooit geweten,' zei ik. Bettina volgt een cursus tuinarchitectuur in Arnhem. Onlangs zag ik haar voor het postkantoor een trottoirtegel fotograferen, het was een werkopdracht.

'Wist je niet dat het bomen worden?' vroeg ze. 'Dat kun je toch zien?'

'Ja, nu. Nu je het zegt, zie ik het. Ik dacht dat het struiken waren en dat er weed werd gekweekt, of zoiets. Of dat het olijfbomen waren, ik heb zelfs nog even gedacht dat het wijnranken waren.'

Weer lachte ze en weer zag ik het kanten randje van haar beha, het spleetje en het gaasje boven haar borst. Zou ze een tatoeage hebben laten zetten? Moest die nog helen? Dat zou kunnen. Magda heeft ze ook, op haar ene arm, een en al tatoeage, van onder tot boven, slangenhuid lijkt het. Misschien was het een huwelijkscadeau van Magda. Een ankertje, of een roosje, in plaats van een ring. Of 'Love' boven haar borst, sierlijke kleine letters.

'Leuk, je haar,' zei ik voor mijn deur. Ik stak de sleutel in het slot en ging naar binnen. Op de drempel zei ik nog: 'Dat korte staat je toch het best.'

Ze trok wit weg.

Ik had het nog niet gezegd of dacht aan de extra kruin op haar achterhoofd en de kale plek. En ik trok wit weg. Dat zag ik in de spiegel in de gang.

De volgende dag had ze een zonnehoed op.

Ik gaap dat het kraakt. Voel me verwelkt, geen plant van Bettina.

Bij Bettina op de galerij wemelt het van de planten. Ze heeft zich volledig ingebouwd. Je kunt haar bijna niet zien zitten. Om Magda kun je niet heen. Die valt op vanwege de clips in haar haar, een hoofd vol gele roosjes. Daarbij komt dat ze vaak aan het bellen blazen is door een ouderwets porseleinen pijpje. Er zijn bellen die heel ver komen voordat ze uiteenspatten. Ik heb er eens één het huizenblok aan de overkant zien halen.

Bettina zit meestal dwars op de galerij op de uiterste rand de diepte in te kijken, met haar rug naar iedereen toe. Achter haar een stoet planten. Ze zou koetsier kunnen zijn, haar paard trekt de eerste wagen van een bloemencorso.

Of ik kijk, als ik niet kan slapen, naar de schaduw op de muur van mijn elektrische tandenborstel met het groene lichtje, die in de oplader op een tafeltje tegenover mijn bed staat. Zodra ik het licht uitdoe, verandert mijn tandenborstel in een paard. Ik kan alleen maar zijn hoofd en een stuk van zijn hals zien, en profil, de rest van zijn lichaam verzin ik erbij. Hij heeft geen naam. Ik noem hem Profiel. Soms zeg ik iets tegen hem.

'Dag Profiel, ben je daar weer?'

Het lijkt net alsof hij nieuwsgierig door de lamellen mijn slaapkamer in kijkt, zijn hoofd binnen, de rest van zijn lichaam buiten achter de schuifdeur. Misschien trekt hij een boerenwagen met knollen van het land, of een wagen met melkbussen. Het kan ook zijn dat hij voor een bruidskoets is gespannen, met een gouden zadel en teugels. Misschien zitten Bettina en Magda er wel in.

Zijn kleine oren fier rechtop. Als ik lang naar hem kijk lijkt het net alsof hij met zijn kaken langzaam een suikerklontje vermaalt.

Als de wind op mijn slaapkamer staat en de lamellen tinkelen als een mobiel, gaat zijn hoofd langzaam ritmisch op en neer, zoals het doet als hij op zijn gemak in één en hetzelfde tempo door de straat loopt. Hij loopt en loopt aan één stuk door. Als ik hem een vraag stel, kijkt hij even op.

'Alles in orde, Profiel, jongen?'

Ja, ja, ja, ja, knikt hij.

Daarna doe ik mijn ogen dicht, hoor het geklak van zijn hoeven wegsterven en val eindelijk in slaap.

Waarom nu dan niet?

Ik ga rechtop zitten, kussen in mijn rug.

'Luister, Profiel,' zeg ik. 'Hoor je me?'

Hij knikt. Ja, ja, ja, ja.

'Dat gaasje boven haar borst, met die twee lange smalle lichtbruine repen leukoplast erover, van boven naar beneden. Zou ze geopereerd zijn? Het kan bijna niet anders: die zonnehoed, dat korte haar, de detectives – vier volle boekenplanken – die ze aan De Slegte heeft verkocht, die vraag die ze me stelde. Of ik wilde leren hoe je het best een plant kunt verpotten. Was het de vraag van iemand die een vervanger zoekt, die haar werk kan overnemen als zij er niet meer is? Weet jij dat, jongen? Profiel? Knik je daarom? Komt ze niet meer terug? Gaat ze weg? Dood?'

Dat gaasje stond aan weerskanten iets omhoog, het was net een vlinder. Een vlinder met een bruin lijfje en vleugels van gaas.

Vijf uur is het al. Nog twee uur voordat de wekker gaat. Nog drie uur voordat ik met mijn kaart voor de prikklok sta.

Eergisteren, vrijdag, zijn ze getrouwd.

Woensdagavond belde Bettina bij me aan. Of ik vrijdag de bloemen wilde aannemen die bezorgd werden.

Dat wilde ik.

De bloemist reed af en aan. Het hield niet op. Een zee. Toen er voor de deur van Bettina en Magda geen plaats meer was, heb ik de bossen voor de deur van de buurman gelegd. Volgende deur en volgende.

Het wordt langzaam licht. Soms vallen mijn ogen dicht, maar dan ineens schrik ik weer wakker.

Ik kijk naar Profiel. Hij eet een suikerklontje. Ik kijk en kijk en kijk, net zolang totdat hij het op heeft. Ik hoor het geklak van zijn hoeven wegsterven.

Ik zie hem niet meer. Waar is hij?

Ik hoor mezelf een code uitstoten: '-1.75, code openbare orde voor vergunningen circus, muziek, fancy fair...'

Ik kijk naar de muur. 'Ben je daar, Profiel? Was het een vlinder? Met vleugels van gaas? Daar ben je weer. Bettina, ik zie Bettina. Ben je Bettina? Profiel?'

Ik kan alleen haar hoofd maar zien en een stukje van haar hals. Ze draagt een sluier met een sleep, een sleep van bloemen. Als ze knikt komt de sleep in beweging.

Ze kijkt opzij. Ze eet een suikerklontje, ze knikt.

'Bettina? Kom je terug?'

Ze knikt. Ja, ja, ja, ja. Ik zie het goed. Het is Bettina. Ze komt terug, ze zegt het zelf. Ze heeft het beloofd.

Ik weet het weer. '-1.855 code feesten.' Als ik die maar... Ik weet het zeker. Goed onthouden. 'Feesten.' Ik... mijn ogen... ik...

Vleugels van gaas (2)

Ik was mijn pruim met Omo-schuim
doe mijn lul met hetzelfde spul
en was mijn zak met de rest van het pak.

Arend zegt een vies versje op. Dat kan niet. Hij is dood.
Toch hoor ik hem. Ik zie hem ook. Ik ruik gras, proef
aarde.

'Mama,' hoor ik mezelf zeggen. Ik kan bijna niet praten. Mijn rug, mijn armen, mijn benen, alles doet pijn.
De schommel knarst. Hoe hoger je gaat, hoe harder hij
knarst. Als je er dan af springt, blijft hij heel lang heen
en weer gaan. Ben ik van de schommel af gesprongen?
Waarom?

'Arend stout,' zeg ik. Hij weet niet wat hij zegt, ook
al is hij al elf. Hij praat de jongens uit de buurt na met
hun vieze versjes elke dag. Zo heeft hij ook het 'Wilhelmus' en 'Stille nacht' geleerd. 'Wilhelmus va-an
Na-a-ssaue, zijn vrouw had wi-i-tte vloed.'

De sokken aan de waslijn bewegen heen en weer als
de twee poppetjes aan de achteruitkijkspiegel in de auto van mijn vader. Waait het? Waarom hoor ik de wind
dan niet?

Daar komt Arend aan. Hij rent met zijn armen wijd
over het grasveld, dat de startbaan is. Klaar om op te
stijgen. Hij heeft het molentje van zijn fiets tussen

zijn broekriem gestoken. Het is de propeller.

Arend is mijn grote en kleine broer tegelijk. Hij heeft een slab om en slaapt in een ledikant met houten schotten. Hij bouwt torens van gele, rode en blauwe plastic blokken, trekt een eend op wieltjes achter zich aan, gooit gekleurde ringen om de neus van Pinokkio en eet geitenkeutels alsof het dropjes zijn. Op zijn verjaardag heeft hij een nopjespuzzel gekregen met houten dieren die hij in hun omhulsel moet leggen, in hun eigen lege lichaam. Een koe, een paard, een hond, een schaap. Dat vindt hij heel moeilijk, want de hond past niet in het paard, het paard niet in de koe, de koe niet in het schaap en het schaap niet in de hond.

Als hij met zijn vingers een pot pindakaas leegschraapt, kijkt hij met zijn ene oog naar de grond en met het andere naar de hemel. Dat doet hij ook als hij op zijn rug op de stoep ligt en ik hem met een krijtje omtrek.

Vaak zit hij met zijn broek open op de grond, ook als er visite is. Dan lijkt het net alsof hij een spartelende vis in zijn dichtgeknepen hand heeft die niet terug in de kom wil.

'Mag niet van mama,' hoor ik mezelf zeggen.

Arend trekt zich er niets van aan. Hij lacht en roept.

In een droge sloot
ligt een echtpaar bloot
en de ballen van meneer
gaan op en neer
en de kut van mevrouw
is bont en blauw.

Als mijn moeder het hoort. Waar is ze? Mijn hoofd doet zeer. Mijn vingers tintelen. Ik kijk omhoog naar de lucht, die leeg is. Geen zeppelin. Hoor ik mijn naam? Hoor ik gefluister? Word ik opgetild? Ben ik gevallen?

Toen de witte prinses van de wagen viel, waren haar vleugels geknakt en zat er een deuk in haar gouden kroontje. De prinses bestaat niet echt, ze staat op de plaat boven mijn bed, die ik uit mijn sprookjesboek heb geknipt. Zes is ze, twee jaar jonger dan ik.

Daar is ze. Ze staat onder een boog van bloemen op een versierde wagen, die door twee paarden wordt getrokken. Paarden met pluimen op hun hoofd en kransen om hun nek. Zou Arend die eromheen hebben gegooid? Ze heeft een lange witte jurk aan en twee lange vleugels van gaas om. Ze wordt steeds vager. Alsof de juffrouw de hele klas een stempel heeft gegeven en mijn schrift onderop lag. Weg is de prinses.

Ik zie mezelf schommelen. Steeds harder ga ik. Afzetten, hoger, hoger, en hoger, totdat ik de plaat helemaal kan zien, van de paardenhoeven aan de onderkant tot de gouden piek op de bloemenboog. Ik zie de hoeven van de paarden, harder, ik zie hun benen al, de kransen, hun hoofden, de voorkant van de wagen, de onderkant van haar jurk, nog harder, de bos rozen in haar arm.

Op een dag zal ik de witte prinses helemaal zien, hoger kan niet. Dan komt alles goed. Eens zal het lukken. Dat moet. Als ik eerst haar vleugels maar zie, dan kan het niet lang meer duren.

Arend weer.

> Pak hem maar beet
> zei dikke Greet
> hij is van jou
> doe het maar vlug en doe het gauw
> anders vat ik kou.

Hinkel de pinkel, wit, wit, wit. Ik ben al over de helft. Aan de kant, daar kom ik aan. Pech, zwart, ik kwam met mijn ene voet op zwart.

'Zwart,' zeg ik. Dat moet ik elke keer zeggen als ik fout spring.

Ik ga met mijn voeten naast elkaar binnen de lijntjes op de zwarte tegel staan en tel tot tien. Dat moet ook. 'Een, twee, drie, vier...'

Arend was elf, ik wil er niet aan denken. Het moet.

'Vijf, zes, zeven, acht, negen, tien. *Mission completed.*' Ik mag verder.

Zweetstraaltjes prikken onder mijn haar, maar ik klappertand van de kou.

Er komen mensen aan, ik zie ze in de verte, ze hebben haast. Ze maken me draaierig, zwarte vlekken dansen voor mijn ogen. Ze schreeuwen en rennen, zoals op die middag toen de Zeppelin door de lucht gleed en ik van de schommel af ben gesprongen, terwijl ik heel hoog ging. Daarom is mijn scheldnaam Sigaar, daarvoor was het Sirene, omdat ik er eens op een maandag om twaalf uur ben afgesprongen toen de sirene loeide.

Is de sirene gegaan? Kan ik daarom nauwelijks ademhalen? Ik heb het net zo benauwd als Arend, die kroep heeft en een zwak hart, en als Duco, onze hond, die oud is en een hartruis heeft.

Ik hoor mijn moeder.

'Isa, lieveling,' zegt ze. Ze veegt met haar vingers het zand van mijn mond. Haar gezicht is vlak bij dat van mij. Ik voel haar adem. Ze is bezorgd, dat hoor ik aan haar stem. Ze kust me. Ik wil mijn ogen opendoen en opstaan, zoals Doornroosje, maar kan me niet bewegen. 'Isa, zeg eens wat.' Haar handen pakken mijn handen. Dan zegt ze nog iets, maar ik hoor niet wat ze zegt.

Heeft ze haar zwarte jurk aan? Die hoeft ze vanaf nu niet meer te dragen. Die kan weg.

Mijn moeder staat in de keuken met zijn bord in haar handen. Daar staat ze elke ochtend, altijd met zijn bord in haar handen. Ze heeft haar zwarte jurk aan. Hoog op haar rug zit een strik met uiteinden die op snoeren lijken en allebei precies even lang zijn. Op het eind zit een knoopje. Als ik dat snoer in het stopcontact steek, zal ze dan aangaan en licht geven? Springen? Een dansje maken?

Het is een diep wit bord van email met een rood smal randje, dat ze langzaam met haar vinger volgt, alsof ze het als een wijnglas wil laten zingen.

Ik kijk om de hoek en fluit een liedje tussen mijn tanden, maar ze beweegt niet.

Op het aanrecht liggen zijn mes, vork en lepel van vroeger, gewikkeld in zijn slab. Zilveren kinderbestek voor zijn eerste hapjes. Ze liggen op een houten vierkante onderzetter die in het midden een uitgespaard hart heeft. Het hart komt uit het zijschot van zijn ledikant, mijn vader heeft het er voor haar uit gezaagd. Het lege hart zou bij de nopjespuzzel van zijn verjaardag kunnen horen.

Ik ben aan het tegelsspringen op het zwart-wit geblokte zeil in de gang. Als ik de gang drie keer achter elkaar oversteek zonder met mijn voet op zwart te zijn gekomen, mag ik om de hoek de keuken in kijken en iets tegen haar zeggen. Ik mag ook fluiten, of zingen, of aan haar jurk trekken, of in haar nek of zij kietelen. Als ze maar lacht, ze moet lachen en bewegen. Lukt het niet, dan mag ik het pas weer proberen als ik vier keer achter elkaar de overkant bereik zonder zwart te raken.

Op zwart.

Ik ga op het zwarte blok staan en zeg: 'Zwart.'

Daarna tel ik weer tot tien.

'Een, twee, drie, vier, vijf...'

Mijn moeder praat in de zakdoek voor haar mond. Mijn vader staat achter haar.

'Gelukkig heb ik jullie nog,' zegt ze.

'Wees de komende dagen maar extra lief voor mama,' zegt mijn vader. 'Over een tijdje zal ze weer lachen.' Hij slaat een arm om haar heen. 'Over een tijdje lach je weer. Nietwaar, mama?'

'Nietwaar,' zegt ze ook. En ze knikt.

Dan gaat hij voor me staan en zegt: 'Beloof je dat? Ook dat je geen ruzie maakt?'

Ik knik. Ik zal lief voor haar zijn en haar laten lachen.

'Zes, zeven, acht, negen, tien.'

Weg mag ik.

Wit, ik mag weer naar haar toe.

Ik sluip naar het aanrecht, pak het houten hart en leg het op de keukentafel.

Voorzichtig open ik het gootsteenkastje en haal er het rieten mandje uit met de schoensmeer, de zilverpoets en de doeken. Dat zet ik naast het hart. Dan ga ik zitten, rol zijn bestek uit de slab en smeer de lepel in met zilverpoets. Even laat ik het intrekken, daarna wrijf ik het met een oude panty uit.

Zijn naam staat in de steel. Arend Stokje. Zo noemde mijn moeder hem. *Arend Stokje Arend Stokje heb je mijn kleine jongen ook gezien.* Dat zong ze vaak voor hem, ze is vroeger kleuterjuffrouw geweest en kan heel mooi zingen.

Als ik nies, kijkt ze over haar schouder.

Ze zet zijn bord op het aanrecht en komt naar me toe. Ze pakt de lepel op, houdt hem voor haar gezicht en spiegelt zich erin.

'Ik sta helemaal op mijn kop,' zegt ze. 'Kijk zelf maar. Ik ben helemaal ondersteboven.' En ze lacht.

Ze lachte, even maar, maar ze heeft gelachen. Ze houdt de lepel voor mijn gezicht. Ik kijk en zeg: 'Ik ook, mama. Ik sta ook op mijn kop.' Gauw, over niet al te lange tijd zal ze voor altijd lachen. Als het me lukt. Dat moet.

Op zwart, alweer.

Weer ga ik met mijn voeten naast elkaar binnen de lijn op zwart staan en tel tot tien. 'Een, twee...'

Mijn moeder snuit haar neus.

'Hij had het zo benauwd,' zegt ze.

'Benauwd?' zeg ik. 'Keelpijn?' Ik slik, ik snuif. Ik moet huilen, maar het gaat niet. Ze hebben in zijn keel gesneden. Dat zei mijn vader aan de telefoon tegen mijn tante. Waarom ze het hebben gedaan zei hij niet. Vast om het blokje te zoeken. Is hij gestikt?

'Drie, vier, vijf...'

Daar is Arend weer. Hij ligt op zijn rug op de stoep, ik trek hem met een krijtje om. Ineens staat hij op en loopt weg. Ik kan hem nergens vinden. Nergens te zien, alleen zijn omtrek op de stoep is er nog.

'Arend, geef eens een geluidje.'

Ik loop naar de keuken, kijk om de hoek.

Mijn moeder met het bord. Ze volgt met haar vinger het rode randje, maar er komt geen muziek uit. Ik fluit een lange toon tussen mijn tanden en laat het bord voor haar zingen.

'Mooi?' vraag ik.

Geen antwoord, geen beweging.

Op de bodem van zijn bord is een locomotief geschilderd. Die bouw ik elke avond van lego voor Arend na, als ik nog even met hem mag spelen. De locomotief heeft een pijp en drie lichten, geel, rood en groen. Vier wagons erachter waarop vlaggetjes wapperen. Voorin zit een man met een rode jas aan met gouden knopen en een rode pet op met een gouden band, de machinist. Er zitten witte stippels op de gouden band, die zaten er eerst niet op. Het is slijtage door lepelgeschraap. De machinist blaast op een trompet.

Ik zet mijn vuist aan mijn mond en blaas. 'Tet-tet,' zeg ik. 'Tet-tet.'

Nog beweegt ze niet.

Wit, negen keer overgestoken en geen fout gemaakt. Gauw naar de schommel, het is mijn geluksdag. Misschien zie ik vandaag al de vleugels van de prinses, de piek op de boog, de hele plaat.

Ik loop de tuin in langs het keukenraam naar de schommel. Mijn moeder schuift de boord van haar mouw over haar hand en veegt het bord schoon. Langzaam en lang, alsof er een dikke laag stof op ligt.

Ze zet het raam open. Zou ze willen dat de pluisjes naar hem toe dwarrelen? Zou Arend nu een gat zijn, zoals het hart in zijn ledikant en de dieren in de puzzel? Wil ze hem opvullen met die pluisjes? Zodat hij weer heel wordt en in zijn eigen lege lichaam past?

Ik ga heel hoog. Zo hoog dat ik meester Bol in zijn studeerkamer zie zitten. Hij is op Ameland geboren. 'Op 't ailand.' Zo zegt hij dat, dat is Fries of Gronings voor eiland. Mijn moeder verstond: 'Thailand'. Toen begreep ze ook waarom hij zo bruin is.

Arend en ik gaan elke avond naar Sutonia, dat nog veel verder is dan Thailand. We nemen elke avond de trein en komen steeds dichterbij. We zijn al over de helft.

Mevrouw Bol staat in de keuken af te wassen. Haar

armen zitten tot over haar ellebogen onder het schuim. Ineens kijkt ze op en schudt haar handen af. Ze lijkt op Duco als hij uit de regen komt, of uit de sloot. Ook op mijn moeder als ze met haar vingers wappert en haar pas gelakte nagels laat drogen.

Ik schommel door, harder, hoger. Ik kan de muur boven mijn bed zien met de plaat van de witte prinses. Hoger, hoger, de hoeven van de paarden, hun benen, de krans om hun nek. Doorgaan, sneller, een wiel van de wagen. Vandaag, misschien vandaag.

Ik pak de sok van hem af die hij in de wc-pot heeft gedompeld en uitgezogen.

'Bah, je stinkt, Arend stinkt.'

Hij lacht.

'Mag niet,' zeg ik.

Hij huilt bijna nooit. Daarom heeft hij het altijd benauwd. Huilde hij maar eens, het zou goed voor zijn longen zijn. Hij is met de helm geboren, met een waas voor zijn gezicht, een soort doorzichtig plastic waarin hij bijna was gestikt. Gelukkig is het weg. Hij heeft nu een helm van haar, wijd luchtig pluishaar, een suikerspin. De benauwdheid is gebleven.

Ineens is hij weg. Hij heeft zich verstopt.

'Arend?' zeg ik. 'Waar ben je?'

Geen geluid.

Ik ga voor de spiegel naast de kapstok in de gang staan en toupeer mijn haar met mijn vingers, totdat ik wijd luchtig pluishaar heb, een suikerspin. Kermishaar.

'Hier staat Arend de tweede,' zeg ik in de spiegel. 'Gevonden.'

Ik hoor iemand hijgen.

In de hoek bij de kapstok zit Arend, zijn hand in zijn broek. Hij is aan het vissen. Hij hijgt en hijgt en hijgt. Huilde hij maar eens. Dan zou hij het bij het vissen niet zo benauwd hebben.

'Isa, meisje.' De stem van mijn vader in mijn oor. Hij plukt met zijn duim en wijsvinger een sliertje haar uit mijn oog. Hij heeft zich geschoren, hij ruikt lekker.

'Isa, kom terug,' zegt hij. 'Word wakker.'

Klets klets, hij slaat met zijn vlakke handen op mijn wangen, zoals hij dat bij zichzelf na het scheren doet nadat hij aftershave uit het flesje in zijn handen heeft gegoten.

Arend zit op zijn knieën in zijn bed. Hij steekt zijn hand door het gefiguurzaagde hart in het zijschot en zwaait.

De locomotief is bijna af, ik druk het laatste lego-blokje aan en zing: 'Sutonia, Sutonia, drie keer in de rondte van je tralala.'

'Tralala,' zegt Arend.

De reis kan beginnen.

'Daar gaan we weer,' zeg ik. 'Instappen maar. Nog een klein eindje en we zijn er.'

Ik toeter op mijn vuist en rijd langzaam weg. Over het zijschot naar boven, over zijn hand, zijn arm, en schouder.

Op zijn hoofd ontspoort de trein. Hij valt op de deken. Arend lacht, pakt hem op en slaat hem tegen het zijschot stuk. Dan schept hij met allebei zijn handen

de blokjes op, gooit ze omhoog zoals een bankover-
valler dat met de bankbiljetten uit de koffer doet. Hij
stopt een blokje in zijn mond.

Ik ga voor hem staan. Heeft hij het ingeslikt?

'Kom eens hier,' zeg ik.

Ik leg mijn hand in zijn nek en trek met mijn andere hand zijn hoofd naar achteren, steek een vinger
in zijn mond.

'Mond open,' zeg ik.

Hij kokhalst.

'Mond open.'

Hij begint te huilen. Hard.

Ik glip door de deur de gang op. Blij dat ik hem aan
het huilen heb gekregen ben ik niet, hoe goed het ook
voor zijn longen is. Ik weet zeker dat hij het blokje ingeslikt heeft.

Ik draai me om en loop terug.

'Keelpijn?' vraag ik voor zijn deur. 'Heeft Arend
keelpijn?'

Ik schommel, zo hoog ben ik nog nooit gegaan.

'Hoe heet je?' vraagt iemand aan me, een sinterklaas-
stem. 'Kun je zeggen hoe je heet?'

'Zeg iets, lieverd.' De stem van mijn moeder. 'Probeer je dat?'

'Ze is over de kop geslagen,' hoor ik mijn vader zeggen.

Hoger, hoger. Ik zweef. De rechtopstaande oren van de
paarden, de onderkant van de jurk van de prinses. Ik

zie het allemaal. Haar kroontje, de lange witte vleugels van gaas en de boog met de piek erop. Helemaal, eindelijk. Zo mooi, het is zo mooi. Als ik nu naar binnen ga de keuken in, zal ze lachen. Voor altijd. Het is gelukt.

Ik schommel door. Ik wil de witte prinses nog een keer zien, haar vleugels nog een keer, en nog een keer... nog één keer.

Ik zing: 'Sutonia, Sutonia, drie keer in de rondte van je tralala...'

Iemand pakt mijn handen vast, draait ze om en zegt: 'Het touw staat in haar handen. Zo hard heeft ze afgezet. Ziet u?'

'Hoe heet je?' vraagt sinterklaas weer. 'Nee? Geeft niks. Weet je dan wat voor dag het vandaag is?'

Iemand tilt me op, pakt me onder mijn oksels vast. De prinses? Wit, alles is wit. De prinses is overal, waar ik ook kijk.

Het is mijn moeder. Ze zwaait me heen en weer en ze lacht. Het houdt nooit meer op. Ze lacht voor altijd, het is gelukt.

Ik zie de prinses, mijn moeder, de prinses, mijn moeder. Het is net alsof ik de prinses op het eerste blaadje van mijn kladblok heb getekend en mijn moeder op het tweede, zoals het meisje met het springtouw. Op het eerste blaadje houdt ze het springtouw boven haar hoofd, op het tweede heeft ze het onder haar voeten. Ik scheur de blaadjes er niet uit. Het eerste rol ik om een viltstift heen, waarna ik het afrol en loslaat en weer afrol. Steeds sneller. Dan zie je haar touwtje-springen.

'Mission completed,' zeg ik.

'Wat zei je? Lieverd, zeg iets. Zei je iets?'

Mijn ogen zijn zwaar. Ik wil slapen. Laat me slapen.

'Sutonia, Sutonia...'

De hand van Bagatella

Bagatella kijkt in de spiegel naar Albert, haar man, die kapper is en zojuist een klant onder de droogkap heeft gezet.

Dan is zij aan de beurt.

Hij gaat achter haar staan en borstelt haar haar. Dat doet hij elke dag.

'Als ik jou niet had,' zegt ze zacht.

Ze gooit haar hoofd in haar nek.

'Wat dacht je van mij?' vraagt hij.

Ze schurkt haar achterhoofd tegen zijn middel.

Hij houdt even op met borstelen.

'Wat dacht je van mij?' vraagt hij weer.

Ze glimlacht naar hem. 'Wat dan als je mij niet had?'

'Dan was ik nergens,' zegt hij.

Albert tilt haar elke ochtend uit bed. Ze is invalide en zit in een rolstoel. Het heeft in de krant gestaan.

> Vrouw zwaargewond na val tussen trein en perron
>
> Amsterdam – Een vrouw uit Amsterdam is zondagavond laat op het Centraal Station zwaargewond geraakt aan haar benen toen ze tussen het perron en een rijdende trein terechtkwam. Vermoedelijk moet ze beide

onderbenen missen. De vrouw stond met twee andere personen op de trein te wachten. Toen deze binnenkwam, rende ze een stukje mee. Ze viel en kwam tussen perron en trein terecht.

Word je 's nachts weleens wakker omdat je eigen hand je probeert te wurgen? Rukt je hand de knopen van je blouse? Scheurt hij hem aan flarden? Kun je niet eten omdat je hand je vork afpakt? Bang dat hij je kat vermoordt? Bagatella wel.

De linkerhand van Bagatella is tot alles in staat. Ze heeft er geen enkele controle over, zoals die buikspreker op de televisie vroeger, die zijn vogel niet in bedwang kon houden. Het krijsende beest sloeg wild om zich heen en pikte met zijn puntige snavel in armen en benen, alsof hij een gier was. Ook slingerde hij zijn dunne lange nek om de keel van iedereen die bij hem in de buurt kwam.

Na een infectie in haar hoofd is haar linkerhand een eigen leven gaan leiden. Met hem praten, hem bestraffend toespreken, onder de koude kraan houden, hem slaan, bijten, niets helpt. Hij doet wat hij wil. Het is net alsof hij ogen heeft, of een buitenaards wezen is. Hij zet de schaar in haar haar en knipt er op de onmogelijkste tijden lukraak plukken uit. Steeds meer kale plekken schijnen door haar gitzwarte haar heen, als klodders vogelpoep op het asfalt.

Ze haat haar hand. Het ding.

Ze kan kiezen uit Lucky Lok aan het begin van de straat en Albertelly aan het eind. Het wordt Lucky Lok omdat er goudkleurige lamellen voor de etalage hangen. Dat brengt geluk.

OPEN, staat er op het bordje dat als een halskettinkje met een naamplaatje op de ruit van de deur hangt. Het is vastgemaakt met een doorzichtig plastic zuignapje voor in de badkamer. Schuin daaronder op de deurpost blinkt de goud omrande langwerpige gleuf van de brievenbus. Op de onderste helft van de deur prijkt een affiche van een vrouw die achter een tafel zit waarop een assortiment lichtblauwe potjes, flesjes en tubetjes is uitgestald. Ze steunt met haar arm op de tafel. Haar ranke vingers hangen losjes over de rand, als pootjes van een dode langpootmug over de vensterbank.

Bagatella omklemt de deurkruk. Net op dat moment wordt het bordje omgedraaid. GESLOTEN. Om halfzes?

Ze loopt door naar Albertelly.

Die is nog open.

HAARSTUDIO ALBERTELLY staat er met zwarte letters op het witte uithangbord aan de gevel. Eronder het telefoonnummer van de zaak, erboven het hoofd van een vrouw met lang haar, dat uit vijf zwarte lijnen bestaat. Haar rechte pony valt in pieken van gelijke lengte op haar wenkbrauwen, als een rij tandenstokers in een pakje.

Het hoge, smalle pand heeft maanden in de steigers gestaan, verpakt in lichtgroen bouwzeil. Alsof het in zijn slaapzak was gekropen.

Albert heet hij. Zijn zaak, aan de schaduwkant van de straat, valt op. Dat komt door het plafond dat als een sterrenhemel met witte spotjes is bezaaid, maar ook door de rolstoel in de etalage. Om die rolstoel is een bruidsjurk gedrapeerd, op het witte bijzettafeltje ernaast ligt de sluier.

De kledingzaak aan de overkant heeft het afgekeken. Daar hebben ze een zwarte leren fauteuil in de etalage gezet, met een naakte mannenpop erin. Hij heeft alleen een stropdas om, die niet is dichtgeknoopt en ongelijk op zijn borst hangt. Het ene uiteinde bedekt zijn linker tepel, het andere, als een vijgenblad, zijn lid. Hij heeft een clownsneus op. En op zijn kale hoofd staat een zonnebril. Dat is alles.

Ze loopt naar binnen.

'Neem plaats,' zegt Albert terwijl hij een stoel naar haar toe draait.

Dat doet ze. En ze vertelt hem over haar hand die vroeger gewillig was, maar na een infectie in haar hoofd veranderd is in een grillig vreemd wezen. Ze legt uit dat het een neurologische aandoening is, een kwestie van hersenhelften die niet communiceren. Er is geen behandeling voor. Het enige wat ze kan doen is ervoor zorgen dat haar hand de kans niet krijgt toe te slaan. Ze laat hem nooit zomaar werkeloos in haar schoot liggen, of voor haar op de tafel. Beter is de vingers om de rand van de tafel te klemmen, of om de leuning van de stoel.

Op Albert kan ze rekenen, hij belooft haar altijd voorrang te zullen geven. Een afspraak maken is niet nodig.

'Als je je jas uitdoet, kijk ik even.'

Jas uit.

Even later slaat hij een haardoek om haar schouders en glimlacht naar haar. Ze ziet het in de spiegel.

De trouwjurk en de rolstoel in de etalage zijn van Elly geweest, zijn eerste vrouw. Ze had multiple sclerose. Albert had alles voor Elly over. Elke ochtend tilde hij haar uit bed, waste haar, kleedde haar aan en reed haar naar de grote spiegel in het midden van de zaak.

Voor de spiegel, die met gele lichtjes was omzoomd, kamde en borstelde hij haar lange haar totdat het glansde. Ook maakte hij haar op: rouge op haar wangen, lippenstift, eyeliner. Elke dag opnieuw veranderde hij haar in een prinses. Daarna ging de zaak pas open.

Op een avond was ze ineens weg. Ze had een briefje achtergelaten. 'Er is een ander,' stond erop. Meer niet.

Albert hield zich groot. 'Elly heeft de benen genomen,' zei hij de dag na haar verdwijning toen de klanten naar haar vroegen. En dan lachte hij cynisch. Maar ze wisten allemaal dat hij die avond meteen de straat op was gerend, met een foto van haar in zijn zak.

'Attentie, attentie,' riep hij met haar foto in zijn hand. 'Dit is mijn vrouw Elly. Ze is bij me weggegaan. Als jullie haar zien, willen jullie dan tegen haar zeggen dat ik op haar wacht. Zeg dat ze van me moet houden.'

Niemand zei iets.

'Zeg het haar,' riep hij in elke straat. 'Elly, hou van me. Heb me lief.'

Hij liep en liep, hij liep de hele nacht. Hij wilde niet slapen. Wilde niet vergeten, alsof ze nooit had bestaan. Hij wilde niet dat de tijd voorbijging.

De volgende ochtend had hij een zonnebril op, een

spy-eye, met van die klepjes over zijn gewone bril. Die hield hij de hele dag op, en de dagen erna, ook tijdens het knippen.

Op een dag klapte hij de glazen omhoog en kon je aan zijn ogen zien hoe bedroefd hij was. Hij haalde haar bruidsjurk uit de kledingkist, sloeg er met zijn hand de kreukels uit en plakte in de berging de banden van haar oude rolstoel. Die zette hij in zijn etalage.

Elke dag schikte en schuierde hij haar bruidsjurk en waaierde de sluier over het bijzettafeltje uit, die in plooien langs de poten op de grond viel.

Hij wist het zeker. Ze kwam terug.

De ochtend na de dag dat Bagatella Albert heeft ontmoet, wordt ze met een geluksgevoel wakker. Als ze haar ogen opslaat, ziet ze Albert voor zich in plaats van haar vader. Albert met zijn vrouw in zijn armen. Hij lijkt op een bruidegom die zijn bruid over de drempel draagt. Is zij, Bagatella, de bruid. Of hij is prins en zij prinses. Zo zou ze elke dag wel wakker willen worden. Ontwaken als een prinses in een sprookje, met een kus van de prins.

Bagatella was vierendertig toen haar vader stierf. Ze was een vaderskind.

Haar vader noemde haar Aai. 'Alles goed, Aai?' zei hij als ze elkaar begroetten. En bij het afscheid: 'Zul je goed op jezelf passen, Aai?' Terwijl hij het zei, streelde hij met de rug van zijn hand over haar wang, zacht. Het leek alsof hij bang was dat het kuiltje zou verdwijnen als hij te hard aaide.

Op zijn sterfbed had hij het ook gezegd: 'Zul je goed op jezelf passen, Aai?'

Hij had plukken haar verzameld van de katten en honden die ze vroeger hadden en die in een notitieboekje met een gemarmerde kaft geplakt.

Boven een zwarte krul van Kobus de poedel staat: 'Kobus getrimd'. Boven een witte snorhaar van Roetie, de poes die helemaal zwart was op die ene harde snorhaar na: 'Roetie wordt oud'. Ook de tand die op een dag ineens uit Roeties bekje was gevallen, had hij ingeplakt: 'Roetie aan het wisselen'. Boven een plastic zakje waar een zwart glanzend kooltje uit de kolenkit in lijkt te zitten, staat: 'Roeties laatste drolletje, gevonden achter de bank'.

Hij had ook een pluk haar van zichzelf ingeplakt. Erboven stond: 'Gevonden op mijn kussen. Kaalheid ingezet'. Ze las het een jaar na zijn dood.

Haar moeder stierf toen Bagatella één was. Bagatella heeft haar nooit gemist. Haar oudste zus Hedy was haar moeder, of anders waren haar andere zussen het wel, Sonja, Monique en Astrid. Vervangers genoeg.

Twee maanden geleden is Bagatella zesendertig geworden, de tweede verjaardag zonder haar vader.

Sinds ze Albert heeft ontmoet laat Bagatella haar leven niet meer door haar hand verpesten. Hij doet maar, zij is de baas. Het komt haar goed uit dat hij tekeergaat met de schaar in haar haar. Hoe vaker hoe beter. Kan ze weer naar Albert toe, bij hem zijn. Kon ze maar blijven. Ze wil de kale plekken niet meer missen, die net zo wit zijn als de spotjes in zijn zaak, die de bruids-jurk belichten.

Op een zondagavond vlak na haar verjaardag ligt Ba-gatella uitgestrekt op de bank televisie te kijken, met haar linkerhand op haar buik en de afstandsbediening binnen handbereik op een bijzettafeltje.

Ze zapt. Het debat op Nederland 3 over de vraag waar het naar toe moet met het nieuwe Europa spreekt haar niet aan. Wel het programma op RTL 4 waarover ze in de televisiegids heeft gelezen. *Dossier Bewust Amputeren*, heet het. Het is een Engelse documentai-re over lichaamsdysmorfie, een afwijking waarbij de patiënt beter meent te worden door het laten wegha-len van gezonde lichaamsdelen.

Een vrouw in beeld. Ze zegt naar een harmonieus leven te streven. Om die reden wil ze van haar benen af. 'Mijn benen horen niet bij me.' Het is een obses-sie, een sterke niet te onderdrukken drang. Ze heeft al een rolstoel in huis en oefent er dagelijks in. Ze is er klaar voor. Haar auto en huis heeft ze laten aanpas-sen, ze kan bijna niet wachten.

Bagatella kijkt naar het wezen dat languit op haar buik ligt en zegt: 'Jij daar, hou je gedeisd. Hou je koest, of ik neem de boot naar Engeland.'

Het wezen schrikt op, trekt zijn klauwen in en krimpt ineen als een egel.

Dat meent ze natuurlijk niet, al is het alleen maar omdat ze Albert niet kwijt wil raken. Het wezen is zo slecht nog niet, zonder hem zou ze Albert nooit ont-moet hebben.

Op Nederland 2 is een quiz bezig. Een vraag, een antwoord, speler tegen zaal.

Het is net begonnen.

'Het is alles of niets,' zegt de voice-over, een mannenstem.

In de stoel zit Dick. Ziet ze het goed? Klemt hij de vingers van zijn linkerhand om de leuning van de stoel, of lijkt het maar zo?

De presentatrice vraagt hem wat hij met het geld gaat doen als hij wint.

'Daar hoef ik niet lang over na te denken,' zegt Dick. 'Dat is nou wat je noemt met recht een makkelijke vraag. Mijn vrouw en ik dromen er namelijk al jaren van om in Australië te overwinteren. Kerstmis vieren in de zon, geweldig lijkt ons dat.'

'We gunnen het je allemaal van harte,' zegt de presentatrice.

Ze draait zich om naar het publiek.

'Nietwaar dames en heren? U toch ook?'

De zaal klapt.

De stoel, met aan weerskanten twee lange ijzeren tentakels die een beeldscherm dragen, zet zich in beweging. Dick stijgt op, omringd door rookwolken, tot boven het publiek.

'Succes ermee, Dick,' zegt de presentatrice.

'Dank je wel.'

Bagatella gaapt.

'Wil je een makkelijke of een moeilijk vraag, Dick?'

'Makkelijke vraag graag.'

'Welke vogel kan achteruit vliegen? Is dat a) koolmees, b) ekster, of c) kolibrie?'

Nadat het publiek het antwoord op een stemkastje heeft ingetoetst, zegt Dick: 'Die weet ik. Het is antwoord c, de kolibrie.'

'Je klinkt overtuigd.'

'Ik wist het al voordat de keuzeantwoorden kwamen.'

'Oké, dan laten we het zo.'

Dick heeft het goed.

De presentatrice draait zich weer naar het publiek toe en zegt: 'Eens kijken wie van u dat ook goed heeft.'

Twee keer per jaar huren Bagatella en haar zussen een huisje, De Kievit, of De Pimpelmees, in hun geboortedorp, waar hun vader en moeder begraven liggen. Een huisje van steen, niet van hout.

De laatste keer zaten ze in De Kievit. Ze waren nog niet binnen of Monique belde haar man op om te vertellen dat ze goed was aangekomen. Dat deed ze altijd. Als Monique op zussenweekend ging, had ze altijd een lijstje van haar man bij zich met de vertrek- en aankomsttijden van de trein. Ze hoefde alleen maar in en uit te stappen, nergens op te letten. Dat zou Bagatella ook wel willen. Een man die haar miste als ze een dagje weg was, en zij hem. Die naar haar verlangde, en zij naar hem.

Haar vader maakte vroeger vaak een lijstje voor haar. Hij had haar eerste lijstje samen met het treinkaartje in een oude portefeuille bewaard. Ze vond het na zijn dood, een retourtje Haarlem.

Onder in beeld verschijnt de naam van de eerste belwinnaar van die avond. Negenduizend euro gewonnen.

'Volgende vraag, Dick. Categorie Nederpop. Wil je een moeilijke of een makkelijke vraag?'

'Doe maar moeilijk.'

'Jij durft. Is het je specialiteit? Weet je er veel van?'

'Juist niet. Ik weet er helemaal niks van, dus het maakt niet uit of ik een moeilijke of makkelijke vraag neem. Ik weet het sowieso niet.'

De zaal lacht.

'Wat is de eerste zin van het nummer "Niet of nooit geweest" van Acda en De Munnik? a) Ik zie twee mensen op het strand, b) Ik zie twee mensen op de fiets, of c) Ik zie twee mensen hand en hand?'

Dick weet het niet.

'Heb je een eerste ingeving?'

Die heeft Dick niet.

'Je weet dat je een *escape* kunt inzetten, hè? Daar zijn ze voor.'

Dick zet een escape in.

Bagatella weet het wel. Het is c) Ik zie twee mensen hand in hand.

Ze doet haar ogen dicht en ziet hen voor zich. Ze lopen hand en hand, hij en zij, Albert en Bagatella.

Had ze het goed? Was het c? Ik zie twee mensen hand in hand? Ze lette even niet op.

Was het Astrid die het had gevraagd die op één na laatste keer in het huisje? Monique? Ze zaten dat weekend in De Pimpelmees, dat weet ze nog. Het was Astrid, ze herinnert het zich weer. Ook dat Astrid bij aankomst behalve het gebruikelijke pakket met reclamefolders, de sleutelbos, de televisiegids en de afstandsbediening ook nog een enquêteformulier van de eigenaar had gekregen.

Of ze het wilden invullen, had hij gevraagd.

Natuurlijk.

Na het eten was het zover. Vraag een: of er klachten waren over de speeltuin op het terrein. Die waren er. Hedy vond dat de skippybal opgepompt moest worden en Sonja miste de wipwap. Een speeltuin zonder wipwap is geen echte speeltuin.

'Sonja mist de wip,' zei Astrid terwijl ze het noteerde.

Hard gelach.

Daarna begon het zussenweekend echt.

Ze dronken en lachten.

Astrid keek haar aan en vroeg: 'Hunker jíj nooit?'

Bagatella schoof de snijplank met plakjes chorizo opzij, bedacht zich, trok hem naar zich toe en nam er nog een.

'Wat?' zei ze met volle mond.

'Of je nooit hunkert,' zei Sonja. 'Dat vroeg je toch, Astrid?'

'Ja,' zei Astrid. 'Dat vraag ik me nou echt af.'

'Hunkeren?' vroeg Bagatella. 'Waarnaar?'

Ongekend succes, zo hard hadden ze die dag nog niet gelachen. Bagatella lachte het hardst.

'Waarnaar?' zei Astrid. 'Waarnaar? Wat denk je?'

'Als je een man bedoelt,' zei Bagatella. 'Ja, ik wel.'

'Serieus?' vroeg Astrid. 'Meen je dat?'

'Ja, nou en? Is dat zo gek?'

'Logisch,' zei Sonja.

'Logisch?' vroeg Bagatella. 'Wat?'

'Dat je hunkert. Dat is logisch, dat heb je als je het niet kunt krijgen. Dan ga je vanzelf hunkeren.'

'Ik kan het genoeg krijgen, daar gaat het niet om.'

'Waar dan wel om?' Hedy in de bocht.

Daar had Bagatella zo gauw geen antwoord op. Ze keek naar het schilderij aan de muur, een bonte mannetjeseend. Het hing scheef.

Ze stond op, hing het recht en ging weer zitten.

'En jij dan?' vroeg ze aan Astrid. 'Hunker jij nooit?'

'Nooit.'

'Dat is normaal als je pas gescheiden bent,' zei Sonja.

'Normaal?' Hedy weer.

'Geen vader, geen kind, geen man,' zei Bagatella. 'Er is niemand die op me wacht, of naar me verlangt. Maar ik verlang wel.'

'Albert,' zegt ze zacht. Hij is heel mooi. Hij heeft haar op zijn handen. Zou het prikken als hij haar wang streelt? En als hij lacht, gaan zijn wenkbrauwen omhoog.

Onder in beeld verschijnt de naam van de tweede belwinnaar van die avond.

Dick is nog in de race.

'Nog maar vier tegenspelers, Dick. Het wordt menens, Australië komt nu wel heel erg dichtbij.'

'Lekker warm,' zegt Dick. 'Ik zweet ervan.'

Een vraag over de eerste atoombom en het Manhattan Project.

Dick heeft hem goed.

Volgende vraag.

Dick denkt erover zijn verdubbelaar in te zetten. Is het antwoord goed, dan krijgt hij dubbel uitbetaald. Het gaat om veel geld. Hij knijpt zijn ogen samen. Zijn hand op de leuning zet zich schrap.

'Toch maar niet,' zegt hij. 'Ik wacht er nog even mee.'

'Oké, jij bent de baas. Weet je het zeker?'

'Dat niet.'

De zaal buldert.

'Luister. Wat wordt door de huig afgesloten wanneer je iets doorslikt? a) neusholte, b) luchtpijp, c) slokdarm?'

Ze zapt.

Dossier Bewust Amputeren is nog niet afgelopen. De vrouw rijdt in haar rolstoel naar haar auto, het gaat haar steeds beter af. Ze maakt een snelle sierlijke draai, alsof ze aan het rolstoeldansen is.

Daarna de vrouw in gesprek met de psychiater die haar aanvraag moet beoordelen.

Even later de psychiater in beeld, alleen. Hij vertelt dat het ziekenhuis in Engeland, dat een aantal amputaties uitgevoerd heeft, na heftige reacties uit de maatschappij besloten heeft geen mensen met lichaamsdysmorfie meer te behandelen. Dat betreurt hij. Al vier mensen hebben na dat besluit bewust hun benen op de rails gelegd. 'Als iemand maar wanhopig genoeg is.'

De trein? Bagatella probeert zich voor te stellen hoe je op de rails moet gaan zitten als je van je benen af wilt. En hoe zit iemand die één been wil verliezen? Als hij dan al zit. Misschien staat hij er wel voor. Hoe zou zij het zelf doen, gesteld dat ze aan lichaamsdysmorfie leed? Zou ze springen? Ze ziet het voor zich en rilt. Ze rilt omdat het haar op een idee heeft gebracht. Het maakt dat ze niet meer ophoudt met rillen. Haar hart gaat tekeer alsof ze zwaar werk heeft verricht, het bonkt in haar hoofd. Ze onderdrukt de neiging te gaan kokhalzen. Als ze het durft zal ze voor altijd gelukkig zijn. Ze zal haar hand de schuld geven, als als als. Durft ze het? Voor de liefde?

'Langzaam ademen,' zegt ze. 'Langzaam ademen.'

Dick zet de verdubbelaar in.

'Je denkt zeker alles of niets?'

'Inderdaad,' zegt Dick. 'Nu of nooit. Ik ga voor het geluk.'

'Nu of nooit,' zegt Bagatella, terwijl ze overeind komt.

'Door welke pas scheurde Henk Wijngaard met de vlam in de pijp? Was dat a) de Brennerpas, b) de Sint-Gotthardpas, of c) de...'

De laatste pas ontgaat Bagatella. Ze heeft het koud. Haar besluit staat vast, daarom heeft ze het koud. Het geluk binnen handbereik.

Ze gaat haar jas aantrekken.

'O, Dick wat erg,' hoort ze nog met haar hand op de kruk van de deur. 'Je was zo dichtbij. Wat jammer nou.'

'Niks aan te doen.'

'Bedankt voor het meespelen, Dick.'

Er klinkt een riedeltje. 'Old MacDonald had a farm'. Het komt uit de jaszak van de man die een eindje verder op het perron staat.

Het is zijn mobiele telefoon.

Bagatella loopt achter hem langs naar een ijzeren bankje.

Ze gaat zitten, staat op en gaat weer zitten.

De vrouw die naast haar op het bankje zit, steekt een sigaret op. De rook waait Bagatella's kant op.

Bagatella schuift onrustig heen en weer. De bank zit vastgeklonken in de grond. Opstijgen is onmogelijk, ondanks de rook om haar heen.

De vrouw verslikt zich, hoest.

Ze staat op en zegt met een verstikte stem: 'Rook ingeslikt.'

Bagatella wil iets zeggen, het gaat niet. Ze is misselijk. Ze komt overeind.

'Langzaam ademen,' zegt ze. 'Langzaam ademen.'

'Wat zeg je?' vraagt de vrouw.

Bagatella loopt naar de man met het riedeltje in zijn jaszak.

'De trein komt eraan,' zegt de man.

'Wat?' vraagt Bagatella.

Hij heeft het niet tegen haar, hij zei het in zijn telefoon, die in een omhulsel zit dat precies dezelfde kleur heeft als zijn sjaal.

Ze hoort de stem van Dick in haar hoofd. 'Ik ga voor het geluk.'

De trein. Nu komt het erop aan.

De trein loopt binnen. Bagatella loopt een eindje mee.

Het wezen dat slap op de zak van haar jas hangt, veert op en valt weer terug.

Ze loopt harder. Ze rent.

Het wezen veert weer op en valt weer terug, alsof hij aan een elastiekje zit, of een marionet is. Het heeft niets te zeggen, Bagatella doet wat ze moet doen. Ze sluit haar ogen.

Ze struikelt. En valt tussen de trein en het perron. Het is gelukt, ze weet het meteen. Ze heeft geen gevoel meer in haar benen. Het duurt niet lang meer, of ze is gelukkig. Ze is ervan overtuigd. Als het riedeltje weer klinkt, zingt ze onhoorbaar. 'Old MacDonald had a farm, ie-a-ie-a-ho.'

Bagatella kijkt in de spiegel naar de vrouw onder de droogkap.

'Hoe het kwam? Vraag maar aan Albert, mijn man. Ik kan er nog niet zo goed over praten.'

'Het was een ongeluk,' zegt Albert, terwijl hij een haardoek om haar schouders slaat. 'Het heeft in de krant gestaan.'

Bagatella legt haar hand op de leuning van haar rolstoel en zegt: 'Wat Albert zegt, het was een ongeluk.'

Albert buigt voorover, kust haar kruin en drukt zacht zijn wijsvinger op haar lippen, even maar. Dan geeft hij een kort rukje aan haar pony. Ze knikt, ze heeft de wenk begrepen. Natuurlijk houdt ze haar mond, het is hun geheim. Alleen hij en zij weten dat het haar hand was. Het wezen heeft haar geduwd. Haar linkerhand, die mak op de leuning ligt.

Wat Albert niet weet is dat haar hand onschuldig is. Dat weet alleen Bagatella.

Albert en Bagatella. Een maand geleden zijn ze getrouwd.

Zijn naam staat in haar trouwring gegraveerd. Albert. En haar naam in die van hem: Bagatella. En op het uithangbord aan de gevel staat nu: HAARSTUDIO ALBERTTELLA in plaats van HAARSTUDIO ALBERTELLY. Een kleine verandering. Het scheelt maar twee letters: een t erbij en de y is veranderd in een a.

Albert kamt haar haren.

'Het was een ongeluk,' zegt hij weer. 'Het heeft in de krant gestaan.' Hij wijst naar het ingelijste krantenbericht naast de met gele peertjes omzoomde spiegel. 'Daar staat het.' Hij rijdt de wasbak naar haar toe.

'Ik ben zo gelukkig,' fluistert hij in haar oor. 'Hier heb ik op gewacht.'

Bagatella werpt hem in de spiegel een kushandje toe. Dan zakt ze onderuit, met haar hoofd naar achteren, verlangend naar het warme water en zijn vingers die haar hoofdhuid masseren.

Hij laat een straaltje water over zijn hand stromen, als een moeder die voordat ze haar kind de fles geeft een druppeltje op de binnenkant van haar pols laat vallen.

'Zo gelukkig was ik nooit,' zegt hij.

Alsof ze terug is. Hij wist het, hij heeft het altijd geweten. Eens zou ze terugkomen.

'Wat dacht je van mij?' zegt zij.